NADA QUE PERDER 3

EDIR MACEDO

NADA QUE PERDER 3

DEL QUIOSCO AL TEMPLO DE SALOMÓN: LA FE QUE TRANSFORMA

Traducción
Nayeli Ochoa Monroy

Obra editada en colaboración con Editora Planeta do Brasil Ltda - Brasil

Título original: Nada a perder 3. *Do coreto au templo de Salomão: a fé que transforma*

© 2014, Edir Macedo

© Traducción de Nayeli Ochoa Monroy
Preparación y revisión: Regina de Oliveira
Revisión: Gabriela Ghetti y Marcia Benjamim
Diseño gráfico y diagramación: Thiago Sousa | all4type.com.br
Portada: Compañía
Imagén de portada: Demétrio Koch

Fotos de interior: Demétrio Koch, Lumi Zúnica, Emiliano Capozoli, Maël Boutin, Bobbi Shampoo Barcellano, Christian De Los Santos, Osny Arashiro, Fernando Natalici, Ernesto Pages, Laura Motta, Gabriel Borges y Maque Chavane, Pauty Araújo, José Célio, Marcelo Alves, Erik Teixeira, archivo personal, Portal R7, Record Entretenimiento, Reproducción TV Record y Cedoc/Unipro

Colaboración: Karla Dunder, Marcus Souza, Anne Campos, Douglas Crispim, Vagner Silva y Leandro Cipolini

Agradecimientos: Clodomir Santos, Paulo Roberto Guimarães, Cristiane Cardoso, Renato Cardoso, Viviane Freitas, Júlio Freitas, Marcus Vinicius Vieira, Marcelo Silva, Marcelo Crivella, Marcelo Pires, David Higginbotham, Honorilton Gonçalves, Marcos Pereira, Adriana Guerra y Giovanni Oliveira.

2014
Todos os direitos desta edição reservados à
EDITORA PLANETA DO BRASIL LTDA.
Rua Padre João Manoel, 100 – 21º andar – conj. 2101 a 2102
Edifício Horsa II – Conj. Nacional – Cerqueira César
01411-901 – São Paulo – SP
www.editoraplaneta.com.br
atendimento@editoraplaneta.com.br

© 2015, Editorial Planeta Mexicana, S.A. de C.V.
Bajo el sello editorial PLANETA M.R.
Avenida Presidente Masarik núm. 111, Piso 2
Colonia Polanco V Sección
Deleg. Miguel Hidalgo
C.P. 11560, México, D.F.
www.planetadelibro.com.mx

Primera edición impresa en México: febrero de 2015
ISBN: 978-607-07-2510-4

Impreso en los talleres de Litográfica Ingramex, S.A. de C.V.
Centeno núm. 162-1, colonia Granjas Esmeralda, México, D.F.
Impreso en México – *Printed in Mexico*

Al Espíritu del Dios Altísimo, toda
mi gratitud por su dirección.

Índice

Introducción

—¿**U**sted sabe qué es criar a un hijo con amor y cariño, rodeado de educación y de una vida confortable, y de repente sentir cómo se le escapa de las manos?

La pregunta es de un muy exitoso empresario del sur de Brasil, padre afectuoso de un joven de 19 años que se hizo adicto a las drogas. Tener un hijo siempre fue su sueño. Un hijo único. De un momento a otro, aun criado por una familia rica y de buenas costumbres, el muchacho empezó a probar la cocaína hasta hundirse en el *crack*.

—Personalmente, fui a sacar a mi hijo del lugar donde venden drogas seis, siete veces. Él estuvo internado más de veinte veces y siempre huía o agredía a los funcionarios de la clínica. En varias ocasiones, tuve que pagar mucho dinero a los traficantes para que no mataran a mi muchacho —cuenta el empresario, sin contener las lágrimas.

El padre confiesa que no había nada que hacer. Solo esperar la llegada de una noticia trágica en cualquier momento. De repente, un pastor de la Iglesia Universal del Reino de

Dios, de la misma edad del muchacho, empezó a convivir con el joven adicto y ayudó en su recuperación. Pasaba horas a su lado, oía su dolor durante las crisis de abstinencia, abrazaba al chico y lloraba con él, transmitía la fe capaz de vencer al vicio.

—Él apenas sabía hablar o escribir, pero tenía un corazón gigante. Una voluntad enorme de socorrer a mi hijo. Era conmovedor ver a los dos sentados en la acera durante horas seguidas. Muchas veces, desde la ventana de la casa, no me contuve al ver esa escena y el deseo de ese pastor de salvar a mi único hijo —recuerda el empresario.

El joven adicto dejó el *crack*, volvió a estudiar y hoy, casado y empresario junto a su padre, se convirtió en un hombre de bien, plenamente recuperado.

Esta historia me la contó el periodista y escritor Douglas Tavolaro, vicepresidente de Periodismo de Rede Record, coautor de esta biografía, a quien le llevó nueve años ayudarnos a recuperar recuerdos, testimonios, acervos y archivos sobre nuestra trayectoria. Fueron centenares de horas de entrevistas dadas a él, viajes en Brasil y alrededor del mundo, un rescate de documentos e imágenes inéditas jamás realizado antes.

Pero la declaración de este padre cuyo hijo fue salvado de las drogas responde a algunas de las preguntas que más escucho a lo largo de mis 50 años como predicador de la Palabra de Dios: ¿cuál es el secreto del crecimiento de la Universal? ¿Por qué avanza tanto a donde llega en cualquier parte del mundo?

Sencillo: la fe bíblica que me llevó a conocer al Dios viviente de Israel de verdad transforma para bien la vida de las personas. Hay un antes y un después irrefutables. Eso ocurrió conmigo y con la propia Iglesia Universal. Quien experimentó esa transformación no lo olvida nunca. ¿De qué tamaño es la gratitud de ese padre al Espíritu Santo, quien cambió el destino de su hijo adicto? ¿Cómo olvidar la dedicación y el amor de aquel humilde pastor? Si la Universal no existiera, ¿cuál sería el fin de aquella familia?

Este ejemplo de vida se repite en millones de personas en varios rincones del planeta, en las más distintas relaciones del ser humano, rescatando la dignidad y la razón de existir de todos los tipos de marginados y rehenes de disgustos y agonías, y hace que la Iglesia no deje de crecer nunca. Es la acción del propio Dios.

Por eso, defiendo arduamente mis convicciones y mi fe, independiente de los ataques y discriminaciones que hemos sufrido a lo largo de los últimos tiempos. No me importan las opiniones ajenas. La salvación del alma es el mayor tesoro del ser humano y yo lucho por eso con todas mis fuerzas, sin esperar el reconocimiento de nadie. Apenas espero que las personas piensen por sí mismas, sin influencias prejuiciosas, y decidan lo mejor para ellas.

Ese es el principal objetivo de la biografía *Nada que perder*, que termina con este tercer y último volumen.

Esta obra no es una simple retrospectiva, ni sigue el orden cronológico de una biografía convencional. Mi objetivo siempre fue compartir mis experiencias de vida y reflexiones espirituales para dar cimientos a la creencia de quienes siguen la fe cristiana y alcanzar a los que se consideran perdidos.

Una vez más, los recuerdos de Ester fueron esenciales para la elaboración del texto y, por eso, ella ya está preparando un nuevo libro de memorias contando su historia y sus aprendizajes como mujer de Dios, en un registro jamás realizado antes. Ester nunca contó su trayectoria, sus luchas y sus desafíos interiores y todo lo que vio y vivió a mi lado en estos 42 años de matrimonio.

Mi unión con Ester es también uno de los temas de *Nada que perder 3*. Expongo aquí mis confidencias como marido y padre de familia. En esta última parte de la serie, también vamos a mostrar cómo la Universal llegó a más de cien países, ganando fieles de las más distintas culturas y costumbres de los cinco continentes. Y contamos todos lo secretos sobre el mayor proyecto de la trayectoria de la Iglesia: el Templo de Salomón.

Concluyo la trilogía *Nada que perder* agradeciendo a todos los lectores que han hecho de esta obra un marco increíble. No imaginaba la fuerza que el libro tendría. *Nada que perder* fue traducido al inglés, español, francés, italiano, ruso y holandés. Las escenas se repitieron en todos los lanzamientos de los dos primeros volúmenes. Largas filas en las más renombradas librerías del planeta. Multitudes en Brasil y en el mundo. En total, fueron más de 120 lanzamientos oficiales en 27 países de cuatro continentes, más de 50 ciudades de América, Europa, África y Asia. Casi tres millones de personas han acudido a librerías de Nueva York a Río de Janeiro.

Aun con toda esa repercusión en el mundo, participé solamente de una sesión de lanzamiento: en una cárcel de São Paulo. Me empeñé en entregar los libros, estrechar las manos de los reclusos y orar por cada uno de ellos, como señal de que la Iglesia cree en la recuperación de los excluidos.

Una demostración de que la fuerza de *Nada que perder* proviene de la fuerza de la fe.

Muchas gracias. ¡Feliz lectura!

Dios bendiga a todos.

«*[…] S<small>I ALGUNO ME SIRVE, MI</small> P<small>ADRE LO HONRARÁ</small>.*»

(J<small>UAN</small> 12:26)

CAPÍTULO 1

NUESTRO MAPA DEL MUNDO

VISUALIZAR LO EXTRAORDINARIO

Creer para ver. Usted no leyó mal, amigo lector. La fe bíblica invierte el orden del razonamiento lógico. No tenemos que ver para creer, y sí creer con todas las fuerzas de nuestro ser para transformar lo que imaginamos o soñamos en realidad pura. Las historias de los reyes, profetas y discípulos, conquistadores del pasado en el Antiguo y Nuevo Testamento, prueban que el ser humano siempre creyó en la existencia de algo inexistente antes de volverlo real.

La trayectoria de la Iglesia Universal del Reino de Dios puede ser explicada por ese fundamento tan singular. Hace 37 años, cuando reuníamos media docena de hombres y mujeres en el viejo Quiosco, en el suburbio de Río de Janeiro, nadie podría creer en las fronteras que serían atravesadas por el crecimiento asombroso de esta obra evangelizadora. Lo que no existía pasó a existir mediante la fe sincera, demostrada en nuestros momentos particulares vividos con Dios.

En mis oraciones y en mis desahogos privados, desde mi juventud cuando conocí el Evangelio, mi única y latente intención siempre fue una sola: sembrar la salvación en el mayor número de personas en todo el planeta. Parecía utópico, un sueño intangible, pero creo que el Espíritu Santo miró la pureza de mi objetivo de vida.

Para mí, desde la predicación solitaria en las plazas públicas hasta el memorable momento en el que puse mis pies sobre el altar del Templo de Salomón, ante la presencia de millares de fieles, mi deseo nunca dejó de ser apenas uno: adorar a mi Dios con la conquista de almas en todo el mundo. Esta es mi seña. Y sé que voy a cargar ese deseo latiendo dentro de mi pecho hasta mis últimos segundos de vida.

La Universal hoy está esparcida en más de cien países de cinco continentes. No hay límites de etnias, cultura o idioma. En la aldea más distante con el dialecto más incomprensible, la Palabra de Dios produce frutos. La formación de discípulos, hombres y mujeres dedicados cien por ciento al trabajo evangélico no se interrumpió siquiera un día desde la fundación de la Iglesia.

Hoy somos más de 25 mil pastores distribuidos en los más distintos frentes de actuación en todo el mundo. Solamente en Brasil sumamos 12 mil predicadores. Somos centenas de millares de obreros voluntarios y millones de miembros fieles en las más distintas naciones. Ponemos por obra rigurosamente el «Vayan» enseñado por el Señor

Jesús: «[…] *Vayan por todo el mundo y prediquen el Evangelio a toda criatura. El que crea y sea bautizado, se salvará* […]» (Marcos 16:15 y 16).

El comienzo de la expansión en el extranjero fue sin duda marcado por barreras desconocidas y algunos obstáculos que enfrentamos mis compañeros y yo, en Brasil. Luchamos arduamente contra el derrotismo de líderes religiosos, la mayoría evangélicos oficiales, y la avalancha de ataques y agresiones movida por el odio y los prejuicios.

Lo que aviva aún más nuestras convicciones es mirar atrás y entender cómo se originó todo. Ante el temor de nuevas trampas y procesos injustos para intentar ahogar la Iglesia, la primera generación de obispos y yo fuimos obligados a dejar Brasil de forma precipitada, al inicio de los años noventa, cerca del tiempo de mi prisión. La presión calumniosa de la prensa asustaba a nuestros abogados, ellos prácticamente nos aconsejaban «escapar» de nuestra patria.

¿Y cuál fue el resultado?

La Universal se expandió esparciendo la Palabra de Dios en diferentes partes del mundo. En los puntos más distantes, cada uno con sus características y atributos personales, pero siempre guiados por el mismo Espíritu, nuestros predicadores encararon de frente las resistencias al trabajo misionero practicando la fe con valentía, determinación y persistencia.

En las últimas décadas, Ester y yo viajamos intensamente por los cinco continentes para fortalecer la Iglesia y repasar las enseñanzas que obtuvimos durante tantas fases de agonía en nuestra tierra natal. En general, nunca hubo un plan o una táctica de acción detallados para la implantación de los primeros centros de oración. La orden era usar la fe con inteligencia. Y funcionó.

Seleccioné en las páginas siguientes 38 historias y momentos vividos —claro, alusivos a los 38 años de vida que la Universal va a completar en 2015— aleatorios y emblemáticos sobre el crecimiento internacional de la Iglesia, para ilustrar el tamaño de la grandeza de Dios y cómo el Espíritu Santo ha usado a cada uno de nosotros —y desea usarnos aún más— para sembrar las verdades bíblicas en quienes sufren.

Sería imposible contar todo con tantos detalles. En cada país hay una trayectoria de superación y crecimiento impresionantes, digna de un libro aparte. Los hechos descritos no siguen un orden cronológico. Sucedieron en periodos y situaciones completamente distintos, pero comprueban que los milagros existen.

De Moldavia a Senegal. De Estados Unidos a Indonesia. De Francia a Venezuela. De Rusia a Burkina Faso. De Angola a Nueva Zelanda. De México a Hong Kong. De las Islas Fiji a Guatemala. De Japón a Israel. De los países más ricos y desarrollados a las naciones menos favorecidas. De las supermetrópolis a las pequeñas ciudades humildes. El avance de la Universal nunca paró.

¿Qué hombre tendría la capacidad de liderazgo suficiente para hacer eso por sí solo? ¿Qué institución tendría la estructura de organización necesaria para elaborar y gestionar trabajos voluntarios en regiones tan distintas del planeta? ¿Cuál es la explicación de ese fenómeno?

La respuesta es solo una: desde las primeras prédicas, cuando yo enseñaba el camino de la salvación a una minoría de afligidos, posible de ser contada con los dedos de una sola mano, hasta el día de hoy, el Espíritu Santo es quien dirige y guía a la Iglesia Universal del Reino de Dios.

1. DEL MARACANÁ A NUEVA YORK

La trayectoria de expansión de la Universal por decenas y decenas de naciones comenzó en Estados Unidos, el país más poderoso del planeta. Eran mediados de 1986, la Iglesia apenas tenía nueve años de vida, cuando decidí partir hacia Nueva York con el objetivo de ampliar nuestro trabajo de evangelización. Sabía que ahí era el centro del mundo, el camino correcto para el avance internacional de la prédica del Evangelio.

Admito que tomé una decisión osada.

En Brasil, la Iglesia crecía a grandes pasos. Ya llenábamos el Maracaná y el Maracanãzinho el mismo día. Estábamos establecidos en prácticamente todos los estados brasileños. Ya ocupábamos varios espacios pagados en emisoras de televisión y de radio procurando esparcir la fe cristiana como salvación a los desesperados. Salir de nuestro país en aquel momento era cambiar lo seguro por lo incierto. Significaba salir de la zona de confort y arriesgarse.

Como siempre, era todo o nada. Decidí actuar simple y puramente por la convicción en lo imposible.

Recuerdo claramente innumerables cultos en el predio de la antes funeraria donde anunciaba abiertamente al pueblo que la Universal se propagaría por los cuatro rincones del mundo. No veía inconveniente en asumir mis certezas públicamente, incluso al ver apenas 15 o 20 personas participando de nuestras reuniones.

Aun en 1981, una entrevista que concedí a la antigua *Plenitude* (revista de circulación interna de la Iglesia con un tiraje de millares de ejemplares) se convierte hoy en un registro histórico de esa convicción asumida. Vea un fragmento:

> **Plenitude** – *Usted, ¿qué tiene en mente en cuanto a la propagación de la Iglesia Universal del Reino de Dios en otros países?*
>
> **Obispo Macedo** – *Dentro de poco tiempo estaremos predicando en todo el mundo. Esta es nuestra visión. Dios tiene que aprovechar nuestra vida para que eso suceda.*
>
> **Plenitude** – *¿La Iglesia Universal tiene condiciones financieras para esos emprendimientos?*
>
> **Obispo Macedo** – *Actualmente no. Pero tenemos fe y eso es lo que importa. El pueblo siempre ayuda cuando reconoce que la obra es de Dios y, si las religiones y sectas falsas crecen y se propagan en el mundo entero, ¿por qué la obra de Dios, en la unción del Espíritu Santo, no va a lograr eso también?*

Yo tenía que creer para ver.

Desembarqué solo en la isla de Manhattan invitado por el pastor estadounidense Forrest Higginbotham, en aquel tiempo fundador y líder de una pequeña denominación evangélica llamada Church of Christ, o Iglesia de Cristo. Pequeña, tradicional, con una reducida cantidad de miembros, era administrada por él. La Iglesia funcionaba en un predio modesto en la región de East Side, en Nueva York.

Nuestra primera plática tuvo lugar durante una cena en el restaurante del World Trade Center, las famosas «Torres Gemelas» afectadas por el terrible atentado terrorista de 2001. Fui acompañado por un traductor llamado John Vigário, ya que, en esa época, yo aún no hablaba inglés con fluidez, quien también se convirtió en mi traductor oficial durante algún tiempo predicando en los Estados Unidos. La conversación fue directa.

—Pastor, la labor de la Iglesia Universal está encaminada a cubrir las necesidades de la gente de aquí —afirmé entusiasmado.

El pastor Forrest estaba de acuerdo en todo y asimilaba cada palabra con vivacidad.

—Podemos revolucionar al país con la fe viviente en el Dios viviente. ¡Aquí podemos salvar muchas almas! —continué, siempre con el apoyo de Forrest.

Para mí, eran evidentes las oportunidades que Estados Unidos representaba para la divulgación de la Palabra de Dios. Sabía que, además de la necesidad de hablar del Evangelio a los estadounidenses, ahí llegaríamos también a la comunidad hispana. En aquel tiempo, Estados Unidos tenía aproximadamente 20 millones de latinos en su territorio, sin contar aquellos que vivían ilegalmente, sin visa, sin derechos, sin nada. Personas que intentaban alcanzar una vida mejor en Estados Unidos.

Nueva York era apenas la puerta de entrada, el inicio de una larga jornada.

—Pastor Edir, cuénteme más acerca del trabajo de la Iglesia Universal. ¿Qué hacen en Brasil? ¿Cómo ofician las reuniones? ¿Cómo se hace el trabajo de liberación espiritual? ¿Cuáles son los fundamentos de su fe? —preguntó Forrest, siempre muy inteligente en sus exposiciones.

De inicio, lo que despertó mi interés fue ver la sinceridad y el deseo real de aquel líder evangélico de difundir la fe cristiana. El pastor estadounidense pensaba en todo lo que me decía y meditaba en mis respuestas con sabiduría y humildad. No había envidia o intereses mezquinos, desgraciadamente comunes entre ciertos líderes pentecostales, principalmente en Brasil.

La cena terminó con mi invitación a Forrest para que fuera a conocer de cerca la actuación de la Iglesia Universal en territorio brasileño. Algunos meses después, desembarcamos en Río de Janeiro para participar en una gran concentración de fe en el Maracaná. Cuando Forrest y su esposa vieron aquella multitud reunida, hombres y mujeres conmovidos en todas partes del estadio, el matrimonio estadounidense se maravilló. El hijo de ellos, David, cuenta a detalle cómo reaccionó su padre al ver la Universal:

Mis padres me habían dicho que estaban en Brasil, pero yo no conocía muy bien los pormenores. Cierto día, en medio del viaje, durante mis últimos meses en la universidad, recibí una llamada telefónica de mi padre con noticias sorprendentes:

—Hijo, conocí a un pastor brasileño que me dejó fascinado con la historia de su Iglesia. Él explicó que tenía millares de miembros, que curaban a los enfermos y expulsaban demonios. ¿Puedes creerlo? ¿Una Iglesia que expulsa demonios hoy en día?

Ni mi padre ni yo habíamos oído hablar de algo así en aquellas décadas de predicación en Estados Unidos. Lo que sabíamos era que milagros y demonios eran cosas de la Iglesia del pasado, no de la Iglesia del siglo XX. En ese momento, compartí el entusiasmo y el encanto con mis padres. Queríamos saber más.

En el comienzo del otoño, mis padres, Forrest y Marianne, regresaron a casa, en Estados Unidos, con la fe encendida. No dejaban de hablar sobre el poder de Dios actuando en el Estadio Maracaná. Volvieron impresionados con la historia de transformación de un joven pastor llamado Renato Maduro. Su increíble salida del vicio de las drogas los dejó boquiabiertos. La obra de liberación espiritual dejó espantado a mi padre:

—Los pastores y obreros sabían exactamente qué hacer. Ellos expulsaban los demonios en el nombre de Jesús, ¡y las personas eran liberadas! Las enfermedades salían de ellos al instante. Algunos veían una gran diferencia en sus vidas por haber sido liberados en ese momento. ¡Es increíble! ¡Parecía como si estuviéramos en la Iglesia primitiva! Mis padres siempre fueron personas honestas y respetables, no exageraban y, si relataban esos hechos con tantos detalles, es porque todo era verdad.

—*Y hay una noticia, hijo. Ese pastor quiere comenzar una de sus iglesias aquí en Nueva York. El problema es que él no tiene lo necesario para vivir o trabajar aquí y necesitaría el patrocinio de alguien. Me ofrecí para ayudarlo* —*afirmó mi padre.*

El viejo Forrest tenía un corazón grande y generoso, siempre queriendo dar de sí mismo a favor de la causa del Evangelio. Pero yo no esperaba oír lo que dijo a continuación:

—*Decidí darle mi iglesia a él. Quiero aprender todo lo que él puede enseñarme. Quiero que él lidere y dé continuidad a nuestra iglesia a partir de ahora.*

Quedé muy sorprendido por aquella noticia. Pensé que debía estar exagerando un poco debido al entusiasmo del momento, pero me equivoqué. Mi padre cumplió cada palabra y literalmente otorgó el liderazgo de la antigua Iglesia de Cristo, en East Side, al obispo Macedo.

El convencimiento del Espíritu Santo era tan fuerte en el corazón de mi padre que él sabía que debía obedecer y confiar. Dios tomaría el control de lo demás. Y así sucedió.

Yo estaba listo para iniciar la «Universal Church of the Kingdom of God» en el mismo espacio utilizado por Forrest, pero no podía imaginar el tamaño de los obstáculos que surgirían.

2. CEMENTERIO DE PASTORES

Poco antes de este encuentro con Forrest en Nueva York y de su visita a Río de Janeiro, líderes de distintas denominaciones evangélicas se reunieron para analizar mi requerimiento oficial para tener una iglesia en Estados Unidos. Era un procedimiento burocrático convencional. La historia parecía repetirse en mi vida.

¿Cómo no recordar el rechazo de los primeros pastores, aún en la zona norte de Río de Janeiro, que aseguraban no ver en mí potencial para predicar en el altar? ¿Cuántos dieron la espalda a mi deseo sincero y ardiente de apenas mostrar el camino de salvación a los desesperados?

En medio del encuentro, uno de los pastores estadounidenses me miró a los ojos y dijo, con vehemencia:

—Piense bien si usted de verdad desea venir a Nueva York. Intente ir a otra ciudad, tal vez usted tenga alguna oportunidad allá. ¡Sepa que aquí es un cementerio de pastores!

Respiré profundo. Ya eran los años ochenta y yo aún enfrentaba ese tipo de derrotismo de quien carga la Biblia debajo del brazo con pose de «supersanto». «¿A qué se debe tanto espíritu de fracaso?», me preguntaba.

Luego, me levanté y respondí:

—Preste atención, amigo mío. Para mí no será un cementerio, sino el comienzo de una gran obra. ¡Yo creo en eso!

La reunión entre los representantes evangélicos terminó, claro, sin conceder ningún tipo de autorización o apoyo para nuestro trabajo espiritual. El pastor Forrest fue el único que se mantuvo a mi lado y tomó la responsabilidad de mi estancia misionera. Luego vinieron Ester y las niñas, renovando mis fuerzas para seguir adelante.

Presenté en Inmigración la carta de recomendación firmada por Forrest, muy seguro de que Dios estaría con nosotros.

Pronto comenzamos a predicar incansablemente. En el mismo templo, un lugar degradado de la Segunda Avenida y en ese entonces con altos índices de violencia en la isla, yo dirigía la predicación en portugués, con traducción al inglés, en la planta alta del inmueble. Otro pastor, de la misma denominación de Forrest, predicaba en español en la planta baja. Los miembros que asistían ahí conservaban mucho las tradiciones. Cierto domingo comencé la reunión con una propuesta diferente, como siempre lo hacía en Brasil:

—Quien desee recibir al Espíritu Santo que venga aquí al frente de la iglesia, por favor.

Un silencio incómodo llenó la sala.

Nadie se movió. Nadie dio un paso hacia el altar. Me sentí terriblemente frustrado. La reunión contaba apenas con 15 personas, pero la mayoría con marcas de dolor y sufrimiento. Al micrófono invité a Ester y a las niñas para orar por el descenso del Espíritu de Dios. Fueron las únicas personas que recibieron la oración aquel día.

Para revertir el panorama negativo, decidimos hacer grandes inversiones en un programa de televisión, lo que atrajo un contingente sorprendente de hispanos. El día a día me llevó a conocer más a fondo otro mundo dentro de Estados Unidos, el de los inmigrantes latinoamericanos.

La Universal se transformó en una base de apoyo para esa cantidad sin fin de hombres y mujeres luchadores en busca del sueño de mejorar sus vidas. Funcionó. La predicación en español ganó un espacio mucho más amplio. Aumentamos de treinta asientos a cien sillas.

Cuando todo parecía encaminarse a una trayectoria de éxitos, surgió un escándalo en el universo evangélico de los Estados Unidos: el caso Jimmy Swaggart; en aquella época, un evangelista famoso que cayó en adulterio y fue acusado de evadir impuestos. Esa polémica hizo que las personas dejaran la Iglesia. De más de cien miembros, la Iglesia se redujo a menos de veinte personas.

Los tiempos, de hecho, eran difíciles. Pero siempre procuré mirar lo invisible.

3. SOLEDAD EN LA CAPITAL DEL MUNDO

El número de fieles no aumentaba en Nueva York. Llegamos a ofrecer almuerzos gratis después de la reunión de domingo. Ester acató mi decisión y preparaba la comida. Yo andaba por la ciudad esparciendo la novedad. Justo en el primer domingo de culto-almuerzo aparecieron unos quince invitados.

—Edir predicaba con tanto entusiasmo que parecía que en la iglesia había mil personas —recuerda Ester.

Los domingos siguientes, el número de presentes en la reunión aumentó, curiosamente durante los diez minutos finales del culto. Ellos estaban ahí apenas para almorzar gratis, pero perseveré.

En esta fase, Ester lloraba prácticamente todos los días, siempre escondida. Estábamos acostumbrados a los templos llenos de gente, las concentraciones repletas de personas en Brasil, pero en Estados Unidos la vida era otra. Ese comienzo fue difícil. Teníamos quince, veinte miembros, máximo. Reuniones simples, pero con sufridos y necesitados, llegando poco a poco, sedientos de la Palabra de Dios.

Además de la dificultad de comenzar el trabajo evangélico nuevamente desde cero, debía gestionar la adaptación a una nueva cultura. Llegamos a Estados Unidos sin hablar el idioma oficial. No conocíamos a nadie. Dejamos amigos y parientes en nuestra patria. Todo era muy nuevo, principalmente para mi familia.

Un viernes por la noche, al caminar rumbo a casa, después de cerrar feliz una reunión para treinta o cuarenta personas, vino Ester llorando. No entendí qué pasaba. Ante mi reacción de sorpresa, ella se desahogó:

—Ah, yo no lo acepto. Nosotros dejamos en el Maracaná 100 mil, 150 mil personas, la iglesia en Abolición con más de dos mil miembros y aquí solo hay media docena de personas. No es posible, Edir. Hay almas que nos necesitan en Brasil.

—Ester, Dios nos va a honrar. No mires los números —yo decía, intentando calmarla—. Yo también quisiera ver ese crecimiento acelerado de Brasil, pero aquí no es lo mismo. Todo va a suceder en el momento adecuado.

Tuvimos que mantenernos firmes para continuar esa jornada. Forrest y su esposa procuraron siempre estar cerca de nuestra familia, apoyarnos para continuar la difícil misión de predicar en Estados Unidos. Incluso con tantos espinos, estábamos seguros de que habría un giro inesperado, tarde o temprano.

De repente, un sobresalto. Las señales sobrenaturales que Forrest presenció en el Maracaná, cuando decidió apoyar la fundación de la Universal en Nueva York, tuvieron que suceder tiempo después en la vida de su propio hijo, David.

Un desafío que pondría a prueba los límites de nuestras convicciones.

4. ¡ELLA PUEDE VER!

Seguíamos inquebrantables con la meta de construir una Iglesia fuerte en Estados Unidos. El trabajo florecía lentamente, todo caminaba con fluidez, pero una noticia me conmovió: David, hijo de Forrest y también ya pastor en esa época, enfrentaba un doloroso dilema.

Su esposa, Evelyn, estaba embarazada y descubrió que había contraído una grave y rara enfermedad llamada queratocono, mal que debilita y deforma las córneas. El pronóstico de los médicos era que cuando naciera su primer hijo, Tody, ella ya no vería. La familia Higginbotham era conocida en el medio evangélico estadounidense desde hacía muchas generaciones. Pero ni los médicos ni la fe lograban traer la tan soñada cura.

Cuando conocí a David Higginbotham, él acababa de llegar a Nueva York. Había concluido el curso de Quiropráctica, en Iowa. Después del diagnóstico de la enfermedad, los médicos decían que transcurrirían de veinte a treinta años para que Evelyn perdiera la vista; sin embargo, en menos de cuatro años ella ya era considerada ciega por las leyes estadounidenses.

—Por favor, David, llama a Evelyn aquí. ¿Tú crees en mi oración? —pregunté, él contestó que sí.

Repetí el ejemplo del Señor Jesús, quien untó saliva en los ojos de un ciego antes de que él lograra ver. Después, con las manos impuestas sobre los ojos de ella, determiné el milagro de la visión. Nada ocurrió en el momento, pero le pedí a Evelyn que continuara creyendo, porque las promesas de Dios no fallan. Yo estaba seguro de que Dios había reservado un milagro para aquella familia.

Algunos meses después, otros pastores y yo nuevamente oramos por ella. Pedí que los obispos brasileños de la Universal, de paso por Nueva York, orasen imponiendo sus manos sobre los ojos de Evelyn, pero nada ocurría.

Un viernes, en cierta reunión de liberación espiritual, Evelyn pasaba lentamente por el salón intentando ayudar en la realización del culto, incluso con todas las dificultades de visión, cuando notó a un hombre y a una mujer contando sus experiencias exitosas en el uso de la fe. Era un traficante y una prostituta de la región más pobre de Nueva York, curados por el poder de la oración.

Observando los testimonios a distancia, con la visión borrosa y distorsionada, reconociendo a cada persona apenas por el sonido de la voz, ella discutió con Dios. David cuenta con detalles qué pasó en el interior de ella en aquel momento exacto:

Al ver aquella escena en el culto, me pregunté y le pregunté a Dios en ese momento: «Ah, Señor, ¿por qué esos dos individuos que hicieron tantas cosas incorrectas en sus vidas están volviendo a casa curados, felices, mientras yo, esposa de un pastor, que en el altar renuncié a mi vida, no logro dar un paso sola, pues no veo con claridad? ¿Qué tienen ellos que yo no tenga? No es que me considere mejor que ellos, jamás, pero, ¿por qué mi súplica no es atendida?». Y de una forma maravillosa, aquel día, Dios usó a un traficante y a una prostituta para dar una lección a la esposa de un pastor. La respuesta vino a mi mente al instante: «Ellos confían en mí como Padre y es por eso que están curados».

Yo estaba intentando ser suficientemente buena para ser curada, estaba intentando conquistar, ganar la cura con mis méritos, pero no funciona así. El pasado de aquellas dos personas y mi pasado no le importaban a Dios. Lo que importaba era la fe. Solamente la fe.

Aquella palabra despertó mi convicción, una certeza absoluta, y me dio una determinación inquebrantable de que sería curada. Después de dos semanas y dos consultas al médico, yo estaba viendo de nuevo.

Las personas pasaban cerca de mí y, algunas sorprendidas, decían: «¡Ella puede ver, ella puede ver!».

Hoy, Evelyn continúa siendo esposa del obispo David en Estados Unidos, lleva una vida normal y hasta tiene licencia de conducir. Los dos predican la Palabra de Dios desde hace 28 años y ayudaron a iniciar el trabajo misionero de la Universal en varios países de lengua inglesa.

El pastor Forrest, padre de David, tiene en la actualidad 84 años y vive en una pequeña ciudad en Indiana (Estados Unidos), donde evangeliza en las comisarías y cárceles de la región. Su esposa falleció en 1995, en Sudáfrica. Hasta hoy, la familia Higginbotham ocupa un lugar especial en mis recuerdos. Guardo una profunda gratitud por todo lo que han hecho por mí y, principalmente, en nombre de la causa del Evangelio en el transcurso de los últimos años.

5. Primera de muchas

Después de Manhattan, los próximos dos templos de la Universal en Estados Unidos fueron inaugurados en Nueva Jersey y en Brooklyn, a finales de 1986. Después, siguieron Bronx y Newark. Y, con el paso de los años, la Universal se esparció por todo el territorio estadounidense.

Nuestros templos siempre alternan predicaciones en portugués, español e inglés. Al igual que en Brasil, también utilizamos programas de radio y TV para difundir esperanza y fe. Una de nuestras mayores audiencias está en las horas pagadas en la red hispana Telemundo.

Yo mismo presenté los programas en inglés y en portugués, con traducción simultánea al inglés, durante varios años. Nuestro espacio era de treinta minutos diarios, en las madrugadas del canal. La evangelización en la TV, en esa época, dio muchos frutos.

Curiosamente, Nueva York, donde todo inició como un «trabajo hormiga», abrigó uno de los eventos que dejó más huella y de mayor repercusión de la Universal en los Estados Unidos. En septiembre de 1995, el tradicional Madison Square Garden pareció pequeño para recibir a millares de fieles en una gran reunión de fe llamada «Domingo de milagros». Aquel día lluvioso, el Teatro Paramount estuvo a su máximo de ocupación, como en los viejos tiempos de las presentaciones de Marilyn Monroe y Frank Sinatra.

En el transcurso de los últimos años, no crecimos únicamente en Nueva York. Avanzamos también en Florida, en Massachusetts, en Georgia, en Texas, en Nuevo México, en California y en otros estados a una velocidad increíble, porque el Espíritu de Dios condujo este ministerio desde las primeras reuniones en el viejo y peligroso predio de Manhattan.

Aún en 1986, feliz con la conquista de nuestro templo en Brooklyn, escribí un mensaje al pueblo brasileño. La noticia fue conmemorada por los fieles en Río de Janeiro, en São Paulo y en las principales ciudades brasileñas donde la Universal crecía mucho.

Vea un fragmento de la carta:

Amigos míos:
Cuando llegamos aquí, hace un año, al corazón de los Estados Unidos, tuvimos que enfrentar una serie de inconvenientes que, si no fuera por la convicción de que estamos dentro de la voluntad de Dios, seguramente no resistiríamos y estaríamos de regreso.

No obstante, de la misma manera que la mujer espera nueve meses para conocer a su hijo, así también la Iglesia Universal del Reino de Dios en Nueva York estaba dentro de nosotros todo el tiempo, y no faltaron lágrimas y gemidos inexpresables para su nacimiento. Finalmente, pasados los momentos de tristeza y agonía durante el «embarazo», vinieron los momentos de alegría. ¡El niño finalmente nació!

Hoy, cerca de completar treinta años de existencia en los Estados Unidos, la Universal es una familia con centenares de pastores y millares de obreros voluntarios y miembros fieles, entre ellos muchos hispanos y estadounidenses. Está presente en 23 estados, con más de 237 espacios de oración en las Costas Este y Oeste y en todas las demás regiones del país.

6. PASEO DE LA FAMA

En diciembre de 2013, poco antes de Navidad, reviví extremadamente feliz un poco de ese arduo camino de lucha por la predicación de la Palabra de Dios en Estados Unidos al inaugurar la más nueva de nuestras sedes. Una linda y amplia catedral en uno de los puntos más nobles y bien situados de Los Ángeles, en el estado de California.

El lugar también está marcado por batallas. Fueron 22 años de repetidos intentos para obtener nuestra sede propia en una de las ciudades más importantes de aquel país. Curiosamente, adquirimos un predio planeado y construido para albergar una iglesia de evangélicos de Corea del Sur, pero que fue confiscado por un banco de crédito, debido a la falta de pago.

El local está en una de las avenidas más centrales y nobles de Los Ángeles, a pocas cuadras del famoso «Paseo de la Fama», en el conocido Hollywood Boulevard.

Al poner mis pies sobre el altar, vi a más de cuatro mil personas llenando el nuevo y amplio templo. El predio abriga tres salones separados, el principal de ellos con capacidad para 1,600 butacas. El segundo salón tiene capacidad para mil personas y el tercero para quinientas. Hay también estacionamientos y salas apropiadas para las demás actividades de la iglesia, que se transformó en el templo más elegante y bonito en todo el territorio estadounidense.

Realicé la primera reunión en español, pero los encuentros también se realizan en inglés diariamente. Fue un día de fiesta.

—¡Complacimos a Dios! Gracias a Él, nuestros sueño se hizo realidad con esta linda iglesia después de dos décadas de guerra. Ahora, como esta nueva y deslumbrante puerta se abrió aquí, una nueva puerta va a abrirse en su vida —prediqué para todos los presentes.

7. IDIOMA: EL PREJUICIO

Mi conversación comenzó con un desafío:

—¡Tú irás a Portugal a abrir las puertas de toda Europa para el trabajo de evangelización de la Iglesia! ¿Tienes la fe para hacerlo?

La provocativa pregunta fue dirigida al obispo Paulo Roberto Guimarães, a mediados de 1989. No conocíamos a nadie de allá. Yo sabía apenas que la población era en su mayoría devota al clero romano y que no sería fácil. Comprendía también que podría ser un embrión para conquistar almas en países con culturas tan diferentes en el continente más viejo del planeta.

Decidí enviar a uno de nuestros pastores por la fe.

Al llegar a Lisboa, Paulo Roberto desembarcó con varias maletas llenas de libros y Biblias al lado de su mujer y sus dos hijos. Al día siguiente, en seguida se encontró con un agente de bienes raíces en el vestíbulo del hotel donde se alojaba con su familia. Contó sobre la Iglesia Universal, sobre el trabajo realizado en Brasil, sobre la necesidad de que las personas conocieran a Dios, de que ellas se liberaran de sus problemas, de sus traumas y de sus fracasos. Explicó que estábamos ahí para llevar un mensaje de esperanza al pueblo portugués. El agente oyó todo atentamente y rio:

—Pastor, aquí en Portugal no existe la mínima posibilidad de que su Iglesia crezca. El pueblo es muy devoto del clero, ellos ya tienen su religión.

—Nosotros no estamos aquí para infundir otra religión. Estamos aquí para infundir vida. Jesús no es religión, Jesús es vida —respondió Paulo.

Pero el agente de bienes raíces continuaba incrédulo, movía la cabeza en señal de desaprobación como si aquello fuese algo fuera de la realidad, una utopía.

Aún sin creer una sola palabra, el agente ofreció un pequeño salón en la Estrada da Luz, en la capital portuguesa. No era muy grande, pero el precio era accesible. También comenzamos en pequeño, como en la antes funeraria de Río de Janeiro.

—Obispo, conseguimos un lugar muy bueno. Solo tenemos un problema: no tenemos fiador —contó Paulo por teléfono.

—Calma, Paulo. Dios va a mostrar qué hacer.

Y mostró. Para poder rentar el espacio del primer templo de la Universal en Europa, créanlo, el mismo agente incrédulo aceptó ser el fiador. La inauguración ocurrió el 17 de diciembre de 1989, en el mismo periodo en que el candidato Fernando Collor ganó las elecciones para la presidencia de Brasil.

Menos de veinte personas estaban presentes en la inauguración de nuestra primera iglesia en Lisboa. Al finalizar el culto, Paulo me llamó por teléfono, feliz con el resultado. Yo renové su ánimo diciendo que era un pequeño granito de lo que sucedería de norte a sur en Portugal.

Poco a poco, el pueblo fue multiplicándose, pero muy lentamente. El prejuicio era fuerte. Buscamos un espacio en una radio comercial portuguesa. Y una vez más la barrera del prejuicio. De inicio, el gerente comercial cerró las puertas. Dijo que la Universal no podría hacer programa en aquella radio debido a que nosotros no hablábamos portugués. La reacción inmediata de Paulo fue sarcástica, con razón:

—Entonces, ¿yo qué lengua hablo?

La respuesta fue aún más sorprendente:

—Usted habla «brasileño».

—Amigo mío, no existe la lengua brasileña. Solo existe la lengua portuguesa y lo que yo hablo es portugués y no brasileño.

Con gran dificultad, después de unos tres meses de idas y venidas, la radio nos abrió un espacio de 13 minutos los martes y jueves por la noche. El programa presentaba testimonios de personas que cambiaron de vida, que fueron transformadas, tenía un pequeño mensaje de fe y oración. La divulgación en la radio ayudó y el pueblo fiel se multiplicó.

En cinco años, la Iglesia Universal ya contaba con programa en la televisión y cincuenta templos esparcidos por el país. Hoy, son 124 por diversas ciudades portuguesas. La Record Europa también está operando en Portugal y en toda Europa con un enorme éxito de audiencia. Decenas de concentraciones de fe en gimnasios y estadios de fútbol abarrotados con millares de personas.

8. GALLO JOVEN EN PORTUGAL

Visité la Iglesia en Portugal en los primeros años del desarrollo de nuestra misión evangelizadora. En la misma proporción que conquistábamos al pueblo, ganábamos la antipatía de otros segmentos, principalmente de los religiosos tradicionalistas portugueses.

Para que la Universal obtuviese el registro de actividad religiosa en Portugal, necesitábamos ser aceptados en una asociación llamada Aliança Evangélica Portuguesa [Alianza Evangélica Portuguesa], grupo que congregaba a las iglesias evangélicas del país. Fui personalmente a conversar con el presidente de esta entidad, un pastor de otra denominación pentecostal.

Hablé sobre nuestro trabajo. Expliqué pacientemente nuestras propuestas de ayudar en el socorro de quien se encuentra lejos de la Palabra de Dios. Presenté un largo balance con los magníficos resultados de recuperación de excluidos, familias restauradas, hombres y mujeres rescatados del lado más marginal y sufrido de la vida. Al final, cordialmente, le dije que nos gustaría formar parte de ese grupo.

Para mi sorpresa, oí lo siguiente:

—Ustedes no pueden entrar a la Alianza Evangélica. Todo están muy preocupados por ustedes.

—¡¿Preocupados?! ¿Preocupados por qué? —respondí, intrigado.

—Ustedes están creciendo mucho en nuestro país, y usted sabe qué pasa cuando llega un gallo joven a un gallinero: los otros gallos levantan su cresta. Los otros gallos no lo aceptan.

Creí que era una broma o una metáfora para hacer que la conversación fuera más amena, pero el asunto era serio de verdad. Fui obligado a dar una respuesta a la altura:

—Disculpe, pastor, pero no estamos tratando con gallinas, sino con gente. Necesitamos salvar almas. Luchamos contra el tiempo. Queremos ayudar a las personas a liberarse, a conocer al Dios viviente. Que quede claro: ¡la Obra de Dios no es un gallinero!

Obviamente, no fuimos aceptados en la Alianza Evangélica Portuguesa.

Con Alianza o sin Alianza, orienté a nuestros obispos y pastores a seguir adelante sin mirar cualquier tipo de discriminación o desdén hacia nuestro trabajo. La misión era avanzar. Y así fue. Nunca dependemos de ningún acuerdo con Iglesia alguna, siempre caminamos solitos. Dios ha sido nuestra única ayuda. Él siempre nos guió, nos dirigió y nos bendijo.

9. BATALLA EN EL COLISEO

En 1992 logramos contratar un programa de treinta minutos en la SIC, una de las emisoras portuguesas de mayor audiencia en todo el país. Permanecimos un año en la emisora. La Iglesia dio un salto en su crecimiento. Gente de norte a sur del país llegaba a nuestros templos en busca de ayuda espiritual. Reuniones llenas, en algunos lugares las personas se quedaban en la acera.

Decidimos, entonces, comprar un espacio más grande, un teatro, una de las más tradicionales casas de espectáculo en Portugal: el Coliseu do Porto [Coliseo del Puerto]. Compramos el inmueble a una aseguradora de renombre en Portugal. Cerramos el negocio, pagamos, pero no lo logramos. Nunca imaginé que la ley, un contrato y documentos firmados por instituciones tan serias y respetadas no valiesen nada. Lamentablemente, fue lo que sucedió.

Hubo una persecución explícita contra la Iglesia. Miembros de la Iglesia Universal eran atacados, ofendidos en las calles. Fue un momento de gran tribulación. El gobernador llegó al punto de amenazar con renunciar al cargo si la Iglesia concretaba aquel negocio. Ocurrió una sublevación contra nosotros, típico de la época de la Inquisición. Sin exagerar.

El día que el Coliseo iba a ser abierto para nuestro primer culto, los pastores y obreros se dirigieron hacia allí. Lograron entrar, pero quedaron encerrados ahí dentro desde las siete de la mañana hasta las cinco de la tarde. Sin comida, sin poder salir, presionados por una multitud desde afuera.

Al final del día, después de mucha negociación y aún sin escolta policiaca, apenas algunos policías para contener a los más exaltados, el grupo logró dejar el local, pero fue agredido por los manifestantes. La situación solo se calmó cuando la policía selló las puertas del Coliseo. Desistimos del trato y nos devolvieron el monto que ya habíamos pagado. Pero no desistimos de la obra en Portugal. A pesar de las dificultades, como siempre, seguimos adelante y las conquistas surgieron en el transcurso de los años.

También fuimos víctimas de acciones más astutas. Llegamos a ser investigados por la Justicia portuguesa bajo, claro, las mismas acusaciones de siempre. Fueron nueve procesos en total. En 2001, la Iglesia Universal fue totalmente exonerada. La Policía Judicial, responsable de la investigación de las denuncias, consideró los procesos «no concluyentes».

Es un hecho que todo eso generó sufrimiento. Pero voy a continuar actuando como siempre: orando sin parar por aquellos que me persiguen. No me preocupo por los detractores. Miro hacia aquellos que buscan la salvación, hacia quienes tienen hambre y sed de justicia. Voy a continuar buscando a las ovejas perdidas de la Casa de Israel, conforme a la enseñanza del Señor Jesús. Ese ha sido y va a continuar siendo nuestro trabajo. No importa el lugar. No importan las circunstancias. No importa quién se nos oponga.

En 2010, el tiempo nuevamente probó ser el dueño de la razón. Inauguramos la primera catedral portuguesa en la ciudad del Porto, justamente en la ciudad donde fuimos terriblemente excluidos. Es uno de nuestros templos más lindos en todo el continente europeo. Y no solo fue ese: en diciembre de 2013, el municipio de Vila Nova de Gaia, uno de los principales de Portugal, también abrió una nueva y encantadora iglesia.

Yo personalmente me empeñé en realizar el primer culto del nuevo inmueble en el Porto, proyectado, de forma primorosa, por nuestro equipo de ingenieros durante dos años y cuatro meses. Fue una memorable mañana de domingo. Más de ocho mil personas participaron en la inauguración. La obra fue diseñada de la forma que deseábamos, detalle a detalle, para servir mejor a los miembros fieles que estuvieron a nuestro lado a lo largo de tantas fases espinosas.

10. UN IMPERIO EN LISBOA

De los más de 120 templos de la Universal establecidos en Portugal, uno de los más deslumbrantes es el antes Cinema Imperio, en Lisboa. Al inicio de los años noventa realicé una concentración de fe especial en aquel predio rentado por nosotros. De inmediato quedé encantado con el tamaño y la localización del inmueble, vislumbrando una prometedora posibilidad de crecimiento de la Obra de Dios en la capital portuguesa.

Las imágenes del antes cine impresionan. Proyectado y construido en los años cincuenta, el lenguaje arquitectónico del lugar llama la atención de quien transita por una de las principales avenidas de la ciudad. Su fachada es imponente. En el interior, en las paredes alrededor de los asientos, una decoración elegante y tradicional. Yo lograba imaginar, por la fe en lo invisible, aquellas sillas ocupadas por hombres y mujeres sedientos de socorro espiritual.

Pero fue necesario un acto de convicción que comenzó con una simple palabra. Al final de nuestra reunión especial, donde había una multitud de fieles que asistían por primera vez, dije a los pastores:

—Compañeros, yo creo en un Dios muy grande. Él es el mismo de ayer y hoy. Por eso, la promesa que Él hizo a Josué va a cumplirse en la Iglesia Universal en Portugal. Dios mismo prometió: *«Tal y como se lo prometí a Moisés, voy a darles cada lugar donde pongan los pies»* (Josué 1:3). Este lugar será nuestro para la gloria de Dios —profeticé, seguido por un coro de «¡amén!» de mis compañeros.

El tiempo pasó, el Cine Imperio nunca estuvo a la venta y la Iglesia siguió su camino de expansión en la capital y en diversas ciudades del interior lusitano. Los templos parecían estrechos para el pueblo, principalmente nuestra sede nacional, ubicada en otro antiguo cine rentado por nosotros, el Alvalade.

El propietario siempre fue muy hosco con nosotros, amenazando en innumerables ocasiones con quitar el edificio a la Iglesia. Cierto día, llamó a Paulo Roberto para acordar una conversación privada en su casa. Nosotros siempre aceptábamos los continuos pedidos de aumento en el costo de la renta, pero la situación se había vuelto abusiva. Indignado con nuestra negativa, amenazó con tomar el inmueble y cerrar las puertas.

Ese mismo día, Paulo me llamó por teléfono consternado.

—No te preocupes, Paulo. En el momento adecuado, Dios nos va a dar un local aún mejor para que podamos abrigar al pueblo y las condiciones para que sea cien por ciento nuestro. No estamos haciendo nada para nosotros. Es para Dios —afirmé, y Paulo concordó.

Ya habían pasado varios años desde aquella concentración de fe en el Cinema Imperio cuando, cierto día, la esposa de Paulo, Solange Guimarães, hojeaba el periódico y se dio cuenta de una noticia interesante: el Cinema Imperio había cerrado.

Pedí a Paulo Roberto que inmediatamente buscara a un conocido ingeniero portugués, entonces dueño del cine. Fue frustrante. Él dijo que había proyectado transformar el Imperio en un centro comercial y que dependía apenas de una simple aprobación en la Cámara de Lisboa y en el Ayuntamiento. Aseguró, inclusive, que estaba garantizada la aprobación de su proyecto por tener amigos influyentes entre las autoridades lisboetas. Aun así, él nos pidió presentar una oferta de compra.

En aquel momento, con ímpetu, Paulo Roberto hizo una propuesta financiera que estaba por encima de las posibilidades de la Iglesia. Actuamos por la fe, seguros de que Dios nos daría las condiciones. El ingeniero se rio y dijo:

—Pastor, usted con ese dinero no compra mi cine. Vale mucho y se va a convertir en uno de los centros comerciales más bonitos e importantes de la ciudad. Fue un placer conocerlo —afirmó, tosco, prácticamente invitando a Paulo a retirarse de su oficina.

La noticia me cayó como un balde de agua fría, pero manteníamos la confianza de que surgiría una salida, tarde o temprano. Fue un periodo de mucha oración. Cuando nuestros pastores y obreros pasaban cerca del Cinema Imperio, pedían a Dios una respuesta. Confieso que cargaba dentro de mí una furia contra aquella situación, pero sabía que en el momento adecuado surgiría una luz.

El tiempo nuevamente pasó. Un año después de aquella áspera conversación con el ingeniero, dueño del Cinema Imperio, apareció un nuevo encabezado en los periódicos anunciando que la Cámara de Lisboa había rechazado el proyecto de transformar el local en un centro comercial. Volvimos a buscar al propietario. Él nos atendió de forma más cordial, esta vez con una disposición diferente, y preguntó:

—Entonces, ¿usted quiere comprar mi cine? Muy bien, ¿cuánto ofrece por él?

Orienté a Paulo Roberto para que hiciera la misma propuesta que había sido rechazada un año atrás. El mismo valor y el mismo plazo de pago. El propietario aceptó inmediatamente.

Un detalle curioso: desde el día de la adquisición, el administrador del Cinema Alvalade nunca más pronunció ningún tipo de amenaza contra la Iglesia. El predio también abrigó otro de nuestros principales templos en el país durante casi dos décadas.

El Cinema Imperio se transformó, por tanto, en la nueva sede de la Universal en Portugal durante varios años y funciona hasta hoy como una verdadera sala de urgencias espiritual para atender a los afligidos y necesitados de la mayor ciudad portuguesa.

11. UN GLOBO CAE

Yo estaba en Brasil cuando fui informado sobre un grave accidente en este mismo predio, el Cinema Imperio. El edificio albergaba en la parte superior de la fachada un enorme globo de acero, instalado desde su fundación, en la década de los setenta.

Con la lluvia, fuertes vientos y el deterioro provocado por el abandono de los propietarios anteriores, el objeto cayó desde una altura de más de dieciocho metros directo a la acera. La Alameda Dom Afonso Henriques, donde se ubica el Imperio, es una de las principales de la capital portuguesa y en ella siempre hay movimiento, día y noche sin parar, de automóviles y peatones. Pero, en el exacto instante de la caída, nadie pasaba por el lugar.

Ninguna persona, ningún auto u otro inmueble fue afectado. Ni siquiera hubo heridos.

Era una señal de que ahí se encontraba la Casa de Dios. El Espíritu Santo protegió a la Universal.

12. PADRES E HIJOS EXPULSADOS

A mediados de los años noventa, la Universal y yo sufríamos muchísimo con los ataques prejuiciosos de parte de los medios de comunicación en Brasil, encabezados por TV Globo, obviamente movidos por intereses empresariales y religiosos. La estrecha relación con el clero romano y el temor a la futura competencia con Rede Record hicieron a Globo iniciar agresiones fuera de lugar, repletas de discriminación religiosa, como describí en detalle en *Nada que perder 2*.

Esas falsas acusaciones repercutieron en el exterior. Algunos grupos se convirtieron en verdaderos portavoces del odio y se lanzaron como inquisidores contra nosotros. Esparcían mentiras, calumnias e información insensata que llegó hasta las embajadas y organizaciones gubernamentales de diversos países. En muchos casos, la Iglesia llegó a ser considerada, observe lo absurdo de la situación, como una «institución criminal».

Algunos de esos inquisidores argumentaban que el crecimiento de la Universal se debía a la «inmensa masa de analfabetos existente en Brasil». Acusaciones que llegaron a ser investigadas por parlamentarios de Bélgica y Chile, por ejemplo, y provocaron hasta la incomprensible e indignante expulsión de pastores.

Fue lo que sucedió con los misioneros enviados a Santiago y a otras ciudades chilenas para comenzar el trabajo evangelizador ahí. El día 12 de noviembre de 1997, la prensa brasileña divulgó que pastores de la Iglesia Universal no tenían visa y que el gobierno chileno estaría «preocupado con el crecimiento de la Iglesia en el país». En esa época, la Iglesia tenía cerca de cuatro mil seguidores.

Bajo la condición de «infractores de la ley», los pastores esperaban la decisión de la Justicia para permanecer en el país. Ni siquiera los brasileños casados con ciudadanas chilenas escaparon de la acción prejuiciosa. Había niños en ese grupo y tampoco se libraron de ello. Una comisión de la Cámara de Diputados, en Brasilia, fue enviada a Chile para resolver la cuestión, pero no sirvió de nada.

El callejón sin salida surgió cuando el Ministerio del Interior chileno recomendó el castigo contra la Iglesia por sospechar que existían irregularidades en el desempeño de pastores y fieles. Las supuestas denuncias fueron enviadas por un ex sacerdote, entonces delegado de la Policía Federal, al cónsul de Chile en Río de Janeiro.

Incluso desde la distancia, siempre buscando transmitir fe y confianza a los predicadores, yo me indignaba con tanta injusticia. ¿Cómo analizaban los parlamentarios a una Iglesia partiendo únicamente de información acusatoria que no tenía un mínimo de fundamento, salvo haber sido publicada por periódicos cuyas tendencias resultan extremadamente dudosas?

A pesar de que la Policía Federal no tenía pruebas que incriminasen a la Iglesia, de que los procesos contra la Universal en Brasil están archivados y de que las acusaciones han sido desmentidas, la Suprema Corte de Chile resolvió dar crédito al Ministerio del Interior.

Las visas de residencia fueron negadas a los misioneros brasileños. Se decidió también que ellos deberían abandonar el país en un plazo de 15 días. Nosotros recurrimos a la Corte de Apelaciones de Santiago, entramos con un recurso, pedimos *habeas corpus*, en vano. Todos los procedimientos fueron rechazados por la Corte chilena.

En ese mismo año, en 1997, acusaciones semejantes circularon por el parlamento belga. La Comisión Investigadora de la Cámara de Diputados presentó un informe sobre sectas que definía a la Iglesia Universal del Reino de Dios como —¡créalo usted!— una «organización criminal que tenía como único objetivo el enriquecimiento». Los testigos escuchados por los parlamentarios nos llamaban «estafadores» y «criminales».

El tiempo pasó y, en 2005, se hizo justicia en Bélgica. La Corte de Recursos de Bruselas condenó a la Cámara de Diputados belga, en una decisión inédita en el derecho moderno. La Corte cuestionó cómo fueron oídos los testigos: los «diputados atacaron la imagen de la Universal confiando, sin verificación, en testigos interrogados a puertas cerradas, de forma que "simples afirmaciones" fueron presentadas como "hechos verdaderos"».

La Iglesia se desarrolló y actualmente tiene más de ocho templos en todo el territorio belga.

La justicia también tuvo lugar en Chile. Algunos años después, cada una de las denuncias fue archivada y se comprobó que carecía de sustento legal. Los pastores regresaron al país para continuar ayudando a los chilenos afligidos y necesitados. Y el trabajo evangelizador se multiplicó. Actualmente la Iglesia reúne millares de miembros y más de cuarenta templos esparcidos en diversas ciudades. Una nueva sede propia, la más grande y más confortable de Chile, está en construcción y se prevé su inauguración en los próximos años.

13. JAMÁS VISTO EN MADAGASCAR

Entré con pasos firmes en una reunión de pastores en nuestra sede de Lisboa, en Portugal.

—Por favor, ¿quién de los presentes aquí habla francés?

Uno de los pastores, llamado Eduardo Bravo, levantó la mano. Estaba acompañado del senador Marcelo Crivella, en esa época obispo responsable de la Universal en África.

—Crivella, vamos a enviarlo a aquel país que vimos ayer desde el avión…, aquel país africano que fue colonizado por los franceses…, ¿cuál es el nombre del mismo?

—¡Madagascar!

—Exactamente. Bravo, tú vas a Madagascar a hacer uso de tu francés para ganar almas para el Reino de Dios —determiné, y el pastor estuvo de acuerdo de inmediato.

Dos años después, Crivella fue a visitar al pastor Eduardo Bravo para conocer de cerca los resultados de nuestra acometida evangelizadora. Al aterrizar en el aeropuerto, una sorpresa:

—¡¿Qué?! Pero este no es el lugar del que conversamos en el avión el obispo y yo cuando decidimos enviarte.

La sorpresa fue aún mayor por parte de todos. La nación a la que me refería el día en el que sobrevolamos África eran las Islas Mauricio, otro país también colonizado por los franceses, y no Madagascar.

Resultado: el país que fue evangelizado «sin querer», pero por la acción del Espíritu Santo, ya tenía varios núcleos de oración y una sede propia con reuniones llenas con más de cinco mil miembros. Las Islas Mauricio también cuentan con una notable presencia de la Iglesia y un templo central con capacidad para más de mil fieles.

14. Martillito de zapatero

Suiza siempre fue un desafío para la Universal. El alto índice de escolaridad y el elevado nivel intelectual de la población, al principio, parecían barreras, ya que individuos con mayor intelecto, teóricamente, demuestran mayor resistencia al Evangelio. Pero eso fue vencido con el tiempo y la persistencia de la fe.

Al poner mis pies por primera vez en aquel país rico y desarrollado de Europa, en 1993, apenas dos meses después de haberse iniciado la evangelización, oí de nuestros pastores innumerables reclamaciones sobre las dificultades para el inicio de aquel ministerio.

Después de oír atentamente las explicaciones, les dije:

—La Obra de Dios es como un diamante escondido en un enorme peñasco. A veces, parece que estamos golpeando ese peñasco con un martillito de zapatero: por fuera, no estamos viendo nada. Aparentemente, nada está sucediendo de afuera hacia adentro. No obstante, por la fe, las cosas están ocurriendo de adentro hacia afuera. Va a llegar el momento en que ese diamante va a aparecer y brillar para que todos vean su grandeza y su valor.

Aquel mismo mes, la Iglesia Universal consiguió un domicilio fijo para abrir su templo en la capital, Berna, además de que su funcionamiento fue oficializado por las autoridades suizas. Desde la inauguración, la Iglesia logró reunir a más de trecientas personas.

Durante las semanas siguientes abrimos otros núcleos de oración en Zúrich y en la ciudad de Neuchâtel, donde firmamos un contrato importante con una estación de radio. Más tarde, inauguramos el trabajo espiritual en Lausana. Hoy, la Iglesia está presente con más de 22 templos en todo el país.

El martillito de zapatero quebró el enorme peñasco.

15. Intelectuales en Suiza

Durante mi última visita misionera a la ciudad suiza de Zúrich, en junio de 2012, prediqué apenas sobre la fe inteligente para un público expresivo de hombres y mujeres deseosos de conocer los pensamientos de Dios.

—La fe inteligente es la creencia que le hace pensar. Ella nos lleva al siguiente razonamiento: «¿Dios existe? Sí. Si Dios existe e hizo promesas para transformar mi vida, entonces, ¿por qué Él no se manifiesta y transforma mi vida? ¿Cómo creer en un Dios que no se hace notar ante mí?». La fe inteligente ignora las emociones porque se fundamenta en las enseñanzas de Dios. En la práctica, es usar el raciocinio para leer la Biblia, absorber el Espíritu de ella y ejercitar esa creencia. La fe inteligente, por ejemplo, me lleva a preguntar con claridad, todos los días: «¿Cómo es posible servir a un Dios tan grande y poderoso y vivir una vida de fracasos?».

Los presentes acompañaron cada minuto de la prédica, estáticos, en un respetuoso silencio admirable. El mensaje de la fe aliada a la razón es cada vez más aceptado en Suiza y en toda Europa.

16. Poligamia en Botsuana

Nuestra expansión por los lugares más remotos del planeta nos obligó a enfrentar situaciones inéditas. Una de ellas, por ejemplo, es la costumbre de la poligamia en países africanos. Un hombre puede estar casado oficialmente con dos o más esposas por herencia cultural. Algunos pastores me contaron que ya predicaron en iglesias con esa escena inusitada: el marido, las dos o tres mujeres y los siete, ocho hijos sentados, lado a lado, presenciando el culto.

Hace algunos años estuve en Botsuana, país localizado al sur de África, donde la Universal avanza con velocidad y enfrenta el choque con la realidad de esas costumbres. Además de eso, casarse ahí requiere el pago de una dote, es decir, una especie de impuesto. Así, la minoría está casada y casi todos los jóvenes ya tienen hijos debido al cambio constante de parejas.

Nuestra misión es trabajar respetando todas las tradiciones locales, claro, pero siempre valorando el matrimonio y la relación afectiva estable, como enseña la Biblia. Los cultos celebrados los días domingo en la capital Gaborone llegan a reunir a más de cuatro mil personas.

La Iglesia también ayuda en la labor de lucha contra el sida. Uno de cada cuatro habitantes en Botsuana está infectado. Siempre determiné que ese trabajo social fuese hecho para intentar impedir que nuevos casos se proliferasen por toda África. Desarrollamos acciones con resultados significativos en países donde la Universal actúa con fuerza, como Lesoto, Ghana, Malaui, Namibia, Zambia, Tanzania, Zimbabue, entre otros.

Además de pastores y obreros que animan al uso de preservativos y el combate de la promiscuidad, procuramos volver menos sufrida la supervivencia de las personas infectadas con la predicación del mensaje del Evangelio.

17. GRANDE CONTRA GRANDE

—Obispo, la policía surgió de la nada y selló nuestro inmueble —contó al teléfono el obispo Marcelo Brainer, enviado en noviembre de 1993 a dar los primeros pasos de la Universal en Italia, acción que consideré estratégica durante mucho tiempo. El país es sede del clero romano y vive bajo la influencia de esa religión desde hace siglos.

Nuestro edificio estaba justo en el centro histórico de Roma. Había sido adquirido como fruto de mucho sudor y puesto a funcionar completamente de acuerdo con las reglas de la legislación italiana. No había nada irregular.

—Yo conversé, muy discretamente, con uno de los policías que vino a cerrar la iglesia. Al oído le pregunté qué estaba pasando en realidad, porque era una actitud agresiva de discriminación, sin ningún sustento legal —relató Marcelo.

—¿Y qué dijo el policía? —pregunté, indignado.

—Él habló abiertamente: «Es orden de un grande. No hay nada qué hacer». Y me dejó hablando solo.

Al instante, una certeza despertó dentro de mí.

—Entonces nuestro problema está resuelto, Marcelo. El único y verdadero Grande que conocemos está de nuestro lado. Oren y eso será resuelto. ¡Pueden creer en ello!

Obispos, pastores y miembros de la Universal italiana rodearon el inmueble durante las semanas siguientes, en cadenas de oración pidiendo la apertura del templo. En menos de un mes, la iglesia fue inaugurada en una gran concentración de fe. Italia es uno de los países europeos donde el trabajo de evangelización ha crecido más en los últimos años.

18. SORPRESAS EN ZAMBIA Y GAMBIA

En Zambia, en el centro-sur de África, el gobierno prohibió las actividades de la Iglesia Universal por creer en rumores absurdos de que practicábamos actos satánicos y realizábamos sacrificios humanos. El Secretario de Relaciones Exteriores exigió que dejáramos el país. Aclaramos la situación y en poco tiempo todo volvió a la normalidad.

En Gambia, país localizado en el oeste del continente africano, donde más de 90 por ciento de la población es musulmana, la Iglesia ya tiene sus primeros fieles convertidos al cristianismo. En 2012 conquistamos la licencia para desarrollar legalmente nuestro trabajo de rescate de sufridos.

Cada cierto tiempo, me sorprendo, de forma impresionante, con fotos y relatos señalando el crecimiento del Evangelio en esos territorios donde, en ocasiones, enfrentamos el sufrimiento de la intolerancia religiosa. Mi espíritu se llena de alegría al ver almas conquistadas para el reino de Dios.

19. PRUEBA DE VIDA EN SENEGAL

Otro caso de incitación contra la Universal sucedió en Senegal, también en el oeste de África, donde el 97% de la población sigue al islamismo. Uno de nuestros templos fue destruido en su totalidad. Fui informado de esta agresión cobarde por uno de los obispos responsables de la Iglesia en el continente africano, entre 2010 y 2011.

El acto de furia ocurrió en la ciudad de Dakar. Los pastores y miembros lograron huir. Jóvenes con piedras, palos, cuchillos, martillos y hasta hachas invadieron el templo, rompiendo y quemando todo lo que encontraban a su paso: sillas, lámparas, armarios, electrodomésticos. Los baños y las instalaciones eléctricas fueron dañados. Algunas personas fueron heridas y todo resultó destruido en pocos minutos. Hasta una Biblia rompieron.

La invasión sucedió durante un culto en el que fieles buscaban al Espíritu Santo. Aun así, continuamos nuestro trabajo, sin recelar, confiados en la protección y en la justicia de Dios. Incluso con el edificio quemado, las reuniones continuaron celebrándose ahí. Pocos meses después, nuestro principal templo fue reformado en su totalidad y reinaugurado con una multitud de más de dos mil personas.

Como sucedió en Brasil hace algunos años, las injurias siempre fueron esparcidas por parte de la prensa irresponsable. Varios noticiarios y periódicos impresos senegaleses producían largos reportajes acusándonos —¡créalo!— de ser hechiceros, etiquetando a la Iglesia como «secta satánica», incluso llegando a afirmar que los pastores bebían sangre humana en los cultos.

No fue nada fácil para los miembros. Muchos fueron despreciados por sus propios familiares y hasta expulsados de casa. Mujeres fueron abandonadas por sus maridos. Jóvenes llegaban hasta la iglesia hambrientos porque sus propios padres les prohibían comer en casa mientras siguiesen la fe cristiana.

La historia de una obrera intrépida de Senegal me conmovió. Adja Sokhna Fall, de 29 años, fue amarrada y encerrada por su propio marido dentro de una habitación, durante ocho días seguidos. Preste atención a su testimonio:

Mi esposo hizo eso porque le dije que permanecería con Jesús. Le dije que mi Dios es quien me había sanado después de haber vivido desahuciada por la medicina durante varios años. Mi esposo me hizo comer como un perro. Él lanzaba la comida al piso y decía: «O dejas esa Iglesia o vas a seguir amarrada».
Un día, logré escapar y corrí a buscar socorro en la casa de una amiga de la Iglesia. Continué yendo a las reuniones a escondidas de mi violento marido. Gracias a Dios, él se cansó de perseguirme y yo no me cansé ni me canso de buscar a mi Dios.

Un ejemplo de convicción y valentía para todos nosotros de la Iglesia Universal. Un ejemplo viviente de amor y renuncia, a cualquier precio. ¿Usted tendría ese valor de asumir la fe en el Señor Jesús?

20. ARGENTINA MONUMENTAL

Las puertas para el Evangelio en América del Sur se abrieron por medio de Argentina. En octubre de 1989, época en que yo negociaba la compra de Rede Record

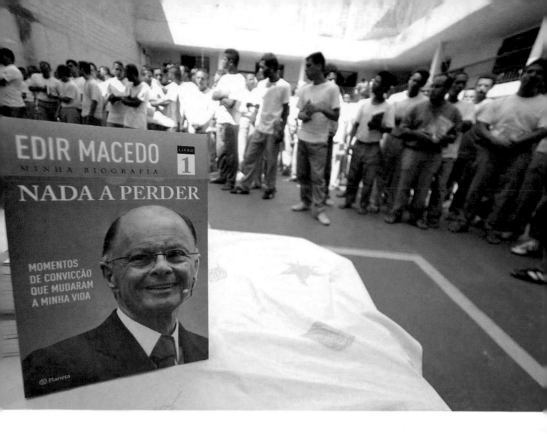

Fueron más de 120 lanzamientos oficiales de la biografía *Nada que perder* alrededor del mundo hasta el final del segundo volumen. La obra llegó a las librerías más renombradas de 53 ciudades, en 27 países de cuatro continentes. El único evento en el que participé personalmente fue la distribución del libro entre los reclusos de uno de los principales presidios de São Paulo.

En medio de los prisioneros, tuve la honra de conversar y orar con ellos. Momentos de esperanza para quien fue excluido del convivio con familiares y amigos.

INGLATERRA

ITALIA

FRANCIA

PORTUGAL

Italiano

Francés

RUSIA

FILIPINAS

Cantonés

Japonés

HONG KONG

JAPÓN

NUEVA YORK

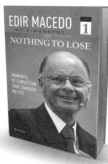

Inglés

ARGENTINA

BOLIVIA

CHILE

REPÚBLICA DOMINICANA

MÉXICO

PERÚ

COLOMBIA

RÍO DE JANEIRO

SÃO PAULO

BRASILIA

AMAZONAS

BAHÍA

MINAS GERAIS

La trayectoria del libro atrajo la atención de la prensa internacional, como del periódico *The New York Times*. En África, los lanzamientos reunieron multitudes, como pudo observarse en un centro de conferencias de Mozambique y en el Museo del *Apartheid*, en Sudáfrica.

MOZAMBIQUE

El último lanzamiento de *Nada que perder 2* en el exterior llenó simultáneamente dos estadios en Johannesburgo, Sudáfrica: el Ellis Park, donde la selección brasileña jugó la Copa del Mundo en 2010, y un estadio vecino, a menos de quinientos metros del lugar.

El evento, para más de 165 mil personas, fue titulado *Nothing to lose* («Nada que perder» en inglés).

Entre los invitados, el presidente del país, Jacob Zuma, y diversas autoridades sudafricanas. Con carteles conmemorando la llegada de la biografía, la multitud cantó y bailó en las gradas.

en Brasil, realizamos el primer bautismo en las aguas en nuestro país vecino. Los veinte primeros fieles asumieron su fe en un pequeño templo en la capital, Buenos Aires.

No es necesario decir que el inicio del trabajo también fue difícil: una nación de formación latina, con muy fuertes raíces implantadas por el clero romano y ferozmente defendida por los jesuitas españoles.

De inicio, la Universal fue masacrada en todos los medios de comunicación. Obispos, pastores y obreros no podían salir a las calles porque eran objeto de burlas. Éramos odiados, amenazados. Un día llegaron a agredir a un pastor en la calle. La Iglesia necesitaba mostrarse fuerte y exigir el respeto de la sociedad argentina.

Decidimos organizar una concentración de fe en el estadio más grande de Argentina, el Monumental de Núñez, del River Plate. Viajé para allá especialmente para dirigir esa reunión. Mi nombre era, constantemente, blanco de ofensas y escarnios en los medios de comunicación locales. Algunos días antes del evento, uno de los abogados de la Iglesia me dio un consejo:

—Obispo, es mejor que cancelemos esa concentración. Es más prudente en medio de tantas noticias negativas. No necesitamos más noticias malintencionadas. Si el estadio queda vacío, quedaremos desmoralizados. Podríamos dar más municiones a nuestros enemigos.

Rechacé la duda al instante. Mis compañeros y yo deseábamos demostrar quién es nuestro Dios. Era necesaria una salida. Todo o nada.

—Es ahora o nunca. ¡Vamos a hacer la concentración! —le dije al abogado.

Nadie creía que la Universal sería capaz de llenar el estadio. En una de las reuniones con el administrador del River Plate, él afirmó irónicamente:

—Ese estadio es muy grande. Sería mejor que ustedes rentaran solo la mitad.

La respuesta fue inmediata:

—¡Solo si Jesús está muerto ese lugar entero quedará vacío!

Realmente era un desafío. Todos apoyaban nuestro fracaso. Pegábamos carteles en los postes y muros con la invitación a la concentración, pero el gobierno de la ciudad los retiraba. Solo quedó la propaganda de boca en boca, hecha intensamente por nuestro pueblo.

El día del evento, todos los medios de comunicación estaban allá para ver qué sucedería. La aprensión era grande. Menos de una hora antes de la reunión, el estadio aún estaba vacío. En los vestidores unimos nuestra fe en oración:

—Mi Dios, si tú, Señor, no nos libras de los enemigos, ellos van a hacer de nosotros *gato y zapato*.[1]

No sé explicar lo que sucedió hasta hoy pero, en un periodo de treinta minutos, multitudes y multitudes comenzaron a llegar a la vez.

Cuando puse mis pies en el césped y vi las gradas ocupadas en su totalidad, grité:

---

[1] Expresión popular que significa: tratar con desprecio, humillar, dominar. [N. de la T.]

—¡La Iglesia, más que nunca, va a ser un éxito en este país!

Los fieles argentinos, los pastores y yo vibrábamos. Nuestra respuesta había llegado. Cuando terminó la reunión, rompí el protocolo y abracé al pueblo debido a tanta alegría. Yo estaba seguro de que la historia de la Iglesia sería otra a partir de aquel momento. Y, de hecho, lo fue.

La Universal hoy es una institución extremadamente respetada en Argentina. Adquirimos una nueva sede magnífica en una de las avenidas más céntricas de Buenos Aires, la avenida Corrientes, en Almagro, donde asisten más de 4,500 personas solo a los cultos de domingo. En total, son más de 260 templos de norte a sur del país, con millares de miembros esparcidos por las pequeñas y grandes ciudades porteñas, llevando paz y transformación de vida a los desesperanzados.

De ahí salen predicadores rumbo a diversos países latinos donde tuvimos avances sin precedentes, como Uruguay, Paraguay, Perú, Ecuador, Bolivia y Colombia, además de las diferentes naciones de América Central.

21. Celo por los filipinos

Siempre que viajo a Manila, capital de Filipinas, quedo admirado con la fuerza del crecimiento de la Universal en aquel pueblo tan querido. Nuestros templos ahora parecen pequeños ante la cantidad tan grande de miembros.

Los filipinos, en realidad, están ayudando a esparcir la Iglesia por toda Asia. A través de ellos, llegamos a naciones donde hasta entonces era imposible predicar la Palabra de Dios.

En mi último viaje al país, estaba partiendo rumbo al aeropuerto cuando Wladimir Nunes, obispo que dirige la Iglesia allí, comentó, sin pensar, sobre la cantidad de jóvenes filipinos que sueñan con convertirse en nuestros pastores.

Ya había ocho preparados para ser enviados a otros países de lengua inglesa. Al instante, le pedí al conductor que regresáramos a nuestra sede. No podría dejar el país sin transmitir un mensaje de fe a aquellos jóvenes, todos solteros de entre 18 y 25 años.

—Ustedes necesitan celar por la decisión del matrimonio. Elegir correctamente a una esposa es una decisión extremadamente importante para un pastor. Cuiden y oren a Dios para lograr un buen matrimonio —prediqué, en inglés, ante los jóvenes de ojos rasgados.

Solamente después de orar y abrazar a cada uno de ellos, Ester y yo partimos para regresar a casa.

22. CHEF EN FRANCIA

No existen y nunca existieron reglas específicas, cursos de preparación o cualquier regulación para promover a hombres y mujeres comunes a la carrera espiritual de pastor dentro de la Universal. La única condición es la disposición y el carácter cristiano irreprensible.

Cada semana, cada mes, cada año, más y más pastores son enviados al mundo exterior para ayudar y salvar a los sufridos. Y ellos surgen de la forma más inesperada posible, desde mi punto de vista, por obra del Espíritu Santo.

Recuerdo un ejemplo emblemático, en el año 1992. Llevaba algunas semanas realizando reuniones en Portugal y siempre observaba a un matrimonio de voluntarios, Vitor y Rosa Silva, dedicado e involucrado en socorrer a los necesitados. Con casi 50 años, él era chef de cocina de un renombrado restaurante portugués, cargo que ocupaba desde hacía décadas.

Al final de uno de los cultos, en un impulso de fe, llamé a los dos para hablar en privado y pregunté:

—¿Ustedes están dispuestos a hacer la Obra de Dios? Necesitamos gente para ayudarnos a predicar el Evangelio por toda Europa y por el mundo. ¿Ustedes aceptan renunciar a todo para vivir por la fe?

El matrimonio, con dos hijos varones y jóvenes, aceptó al instante. Vitor dejó la seguridad de su empleo y la vida tranquila en Lisboa justamente a una edad en la que las personas sueñan con estabilidad, con miras a los años de jubilación.

Hoy, Vitor es el obispo responsable de la Universal en Francia, en París, donde los cultos son día a día recibidos por un público cada vez mayor, y sus hijos también son obispos en Nueva Zelanda y Holanda. Los dos fueron consagrados en el altar por su propio padre.

23. QUIERO COMPRAR ESE PREDIO

Estaba en la cima del Monte Sinaí, en Egipto, después del largo ascenso para orar a favor del pueblo, cuando le dije a mi yerno, Renato Cardoso, entonces responsable de la implantación de la Universal en Inglaterra:

—Encontré un lugar que podemos comprar en Londres para erigir ahí nuestra sede en ese país.

La Iglesia funcionaba en un templo minúsculo, con capacidad para menos de cien personas, y enfrentaba obstáculos para la apertura de un espacio más amplio y confortable en territorio británico. Mucha gente no lograba participar en las reuniones debido al aforo del local. En la manzana vecina estaba la Brixton Academy, una de las más grandes y más conocidas casas de espectáculos de Europa.

Renato ejerció la fe de forma intrépida. Sin ningún contacto anterior, llamó a la puerta del teatro ignorando la timidez.

—¿Puedo ayudarle? —respondió una voz femenina por el interfono.

—Sí. Quiero comprar este predio. Me gustaría hablar con el dueño, por favor —afirmó Renato, quien contaba en esa época apenas 23 años de edad.

El largo silencio fue seguido por un pedido de espera hasta que el dueño abrió las puertas y lo invitó a entrar. Además de romper el protocolo, la actitud de Renato contrarió las reglas básicas de conducta en las transacciones de inmuebles en Inglaterra. Es inimaginable que un comprador entre en contacto directo con el propietario sin al menos haber programado una cita o sin haberlo llamado previamente.

Las negociaciones avanzaron hasta que la noticia fue publicada en la prensa y la presión de la opinión pública prejuiciosa impidió nuestra compra. La transacción fue vetada por el gobierno. El mismo caso de la Brixton Academy sucedió en París, Francia, en el proceso de compra de La Scala, también un famoso teatro europeo, comprado por la Iglesia, pero determinados órganos locales le impidieron funcionar.

Al final de la última ronda de negociaciones en Londres, indignado y frustrado, Renato oyó el siguiente comentario de uno de los arquitectos de la Iglesia:

—Es lamentable que la compra no se concretara. Bueno, aún tenemos al hermano gemelo de la Brixton Academy en el norte de Londres…

—¿Hermano gemelo? ¿A qué te refieres? —Renato preguntó, con los ojos muy abiertos.

La historia era real: el mismo arquitecto de la Brixton Academy también había proyectado otra casa de espectáculos: el Rainbow Theatre, en el área de Finsbury Park. El predio estaba abandonado desde hacía veinte años.

—Vayamos allá ahora —dijo Renato.

En octubre de 1995, la Universal compró el Teatro Rainbow que abrió sus puertas para su primera reunión en la noche de *réveillon*[2] de aquel año. Se realizaron extensas

---

[2] Comidas y festividades que se celebran en la víspera de Navidad y de Año Nuevo. [N. de la T.]

remodelaciones al predio durante los siguientes cuatro años, hasta ser reinaugurado en 1999.

Hoy es considerado más hermoso y bonito que la Brixton Academy y es usado como referente por las asociaciones inglesas de edificios históricos.

24. Israel en el corazón

Mi relación de reverencia con el Estado de Israel comenzó desde el inicio de mi conversión al Evangelio, medio siglo atrás. Desde ese día entendí la importancia de la Tierra Santa y sus significados espirituales tan profundos para quien desea una vida íntima con el Dios de la Biblia.

La Universal actúa en Israel con templos en Tel Aviv, Haifa y Nazaret, con un trabajo evangelizador también destinado a los rusos. La cantidad de inmigrantes originarios de Rusia que adoptaron a las ciudades israelíes como tierra natal es cada vez mayor.

Ya fui recibido por varias autoridades de Israel en Brasil y en Jerusalén y siempre procuro acompañar de cerca la lucha por la paz en aquella región tan conflictiva del mundo. En 1997, para conmemorar los 20 años de la Iglesia, fui honrado con un homenaje del entonces alcalde de Jerusalén, Ehud Ólmert, quien gobernó la ciudad durante diez años y ocupó el cargo de primer ministro de Israel. Al año siguiente, el entonces ministro de Turismo, Moshé Katsav, quien se convirtió en presidente de Israel entre 2000 y 2006, me condecoró en su gabinete. Otro momento muy honroso.

Todas las autoridades siempre agradecían las caravanas con millares de peregrinos de la Universal y compartían conmigo la preocupación por la falta de paz en Israel. Algunos de nuestros obispos, inclusive, casi se convirtieron en víctimas de la violencia de los actos terroristas en 2002. Un grupo transitaba en autobús por el centro comercial de Jerusalén, camino al Túmulo de Jesús para realizar oraciones por el pueblo, cuando sintió un fuerte estruendo.

Era una joven universitaria, mujer-bomba, que cometió el acto suicida a menos de cinco metros del autobús de la Universal.

—El ruido fue terrible. Los vidrios del transporte estallaron. Había mucha gente lastimada, sangrando, desmayándose, gritando. Pronto llegaron las ambulancias y el servicio fue puntual —recuerda el obispo Wilson dos Santos, en esa época responsable por la Universal en Canadá.

Ninguno de los obispos y esposas resultaron heridos. Dios protegió la vida de cada uno de ellos. De acuerdo con la policía israelí, la acción de la mujer-bomba dejó dos muertos y más de 113 heridos.

25. Presente en las tragedias

Una de las características notables de la Iglesia alrededor del mundo es la solidaridad. Oriento personalmente a los líderes en los continentes para marcar la diferencia en un mundo egoísta y frío. Es imposible enumerar aquí las acciones sociales o los proyectos de ayuda al prójimo esparcidos por todo el planeta.

La asistencia sucede a gran escala y en los más diversos frentes de trabajo. Son atenciones a las víctimas de desastres naturales en Asia o en América, como la donación de alimentos y ropa para quienes perdieron todo en el trágico terremoto de Colombia, en 1999, o en las tempestades que constantemente golpean a Filipinas.

El auxilio de nuestros voluntarios a las comunidades carcelarias, con atención especial a las prisiones en América Latina y en Europa Oriental. La ayuda a los familiares con enfermos en hospitales, manicomios o donde dan atención a enfermos de lepra en países pobres o ricos. El apoyo a los ancianos en Portugal y a los niños huérfanos en diferentes regiones de Europa.

La atención especial a los niños albinos víctimas de violencia y a los millones de enfermos de sida en todo el continente africano. La lucha contra la agresión a las mujeres en naciones con altos índices de violencia doméstica, también en África, en el sudeste de Asia y en Oriente Medio.

La prestación inmediata de servicios después de catástrofes que marcaron a la humanidad en los últimos años, como, por ejemplo, los terribles atentados terroristas que destruyeron las Torres Gemelas en 2001. El mismo día de la tragedia, obreros rápidamente ayudaron a los bomberos de Nueva York, distribuyendo agua y comida.

Los ejemplos se multiplican de formas variadas en todo el mundo.

26. Luz en el Oriente

Estuve en Japón dos veces para predicar la Palabra de Dios a los pastores y miembros. La evangelización en el mundo oriental es un desafío antiguo para la Iglesia que está siendo vencido en años recientes, a pesar de las dificultades de un idioma tan diferente y complejo para los brasileños.

Como nunca antes, la Universal ha crecido en Asia. Los japoneses y los inmigrantes brasileños fueron los primeros en abrirnos las puertas, aún en 1995. La atención espiritual en los más de veinte centros de ayuda actuales acoge a la población que sufre desempleo o malas condiciones de vida en uno de los países más prósperos del mundo.

El mal del suicidio también aflige al pueblo japonés que llega a nuestros templos. En diciembre de 2012, después de ver un video sobre el bosque de los suicidas en Tokio —un bosque al pie del Monte Fuji donde centenas se han quitado la vida—, le pedí al responsable de la Universal promover una campaña de fe para atacar esa enfermedad del alma.

El primer pastor japonés de la Universal, Hideaki Terauchi, ayudó en la predicación en el idioma local y en la orientación a los afligidos y desesperados. Según la Organización Mundial de Salud, un millón de seres humanos se suicidan cada año, y Japón ocupa el primer lugar de ese *ranking* macabro. El evento, bautizado «*Stop* Suicidio», reunió a millares de participantes en el más famoso hotel de la ciudad de Hamamatsu y hasta hoy atrae a la Iglesia a nuevos japoneses que buscan la cura para su espíritu.

27. DISPAROS EN ANGOLA

Nuestra primera iglesia en África fue abierta en Luanda, capital de Angola, aún en el tiempo de la guerra civil que asoló a la nación durante 27 años. El primer pastor enviado allá vivió situaciones dramáticas jamás imaginadas cuando dejó Brasil para difundir la fe cristiana.

Tan pronto como estallaba el conflicto, los miembros y él necesitaban interrumpir los cultos y, entre las bancas del templo, permanecer agachados en el piso durante horas hasta que los tiroteos se detenían. La guerra armada se volvió aún más cruel y sangrienta.

—¡Regresa a Brasil, muchacho! Ese lugar es cada vez más peligroso —le dije, preocupado, al recibir una llamada telefónica de ese pastor para contar lo trágico de la situación.

—Me quedaré aquí, obispo —me respondió él, decidido.

Dirigente de la Universal en África durante ese periodo de guerra civil, el obispo Marcelo Crivella cuenta que uno de nuestros pastores fue asesinado dentro de su casa.

—Él dormía en el sofá de la sala después de ver la televisión. Alrededor de las cinco de la mañana, se despertó por un ruido. Se levantó y recibió un disparo en el pecho. Su esposa despertó y corrió asustada hacia la sala y lo encontró arrodillado, clamando a Dios por la salvación de su alma. Él no resistió —recuerda Crivella. —Sé de pastores que pasaron tres días acostados en el piso esperando el fin de los tiroteos. Una joven me contó que su abuela, que vivía en el campo, cavaba un hoyo, se enterraba hasta el cuello y escondía la cabeza entre los arbustos para escapar con vida.

Angola salió arruinada de la guerra y sin recursos financieros, pero dio un giro inesperado. Hoy se ha convertido en una de las naciones con mayor potencial de desarrollo económico en todo el continente africano.

La Iglesia siempre fue muy respetada por los gobernantes locales y en los últimos siete años experimentó una inédita explosión de crecimiento. Son más de 247 templos, con catedrales y edificios confortables esparcidos por la capital y por el interior. Millones de angoleños profesan la fe en el Señor Jesús en los templos de la Universal.

28. LLAMADO PARA ASIA

Algo notable que alegra mi corazón es ver a la Universal siendo usada por Dios en los días actuales tal como lo fue cuando aún gateaba en el predio de la antes funeraria. Los pastores dejaban todo para entregarse en el altar a partir del primer llamado. Ese espíritu de abnegación permanece así en varias partes del planeta.

En mayo de 1997 conocí a Pang Wai Lun, un joven de origen chino criado en Holanda, un país protestante.

Sus padres fueron obligados a abandonar Hong Kong, su tierra natal, en la década de los setenta debido a la crisis económica del país. Sufriendo con la miseria, entregaron a sus hijos en adopción. Wai Lun fue criado por un matrimonio holandés en la ciudad de Rotterdam, donde conoció la Universal.

Pero fue en Amberes, Bélgica, donde tuvimos nuestro primer encuentro. Él se había mudado a la ciudad por motivos de trabajo y yo había ido allá para consagrar a uno de nuestros pastores como obispo. Cuando oí la historia de Wai Lun, lo llamé en ese mismo momento:

—¿Quieres hacer la Obra de Dios? ¿Quieres servir a Dios?

—Sí —respondió, seco, estático, fijando su mirada en mí.

Wai Lun siempre fue un hombre serio y de pocas expresiones.

—Muy bien. Entonces irás a Inglaterra a ayudarnos a predicar el Evangelio y conocer más a fondo la visión de la Iglesia.

Dos aspectos despertaron mi atención en aquel joven. Primero, claro, la historia de su vida. Él se recuperó por la fe después de crecer como un adolescente rebelde y convertirse en ladrón de autos. Su conversión sucedió en reuniones en las cuales, inicialmente, apenas se predicaba en portugués, idioma que Wai Lun hasta hoy no habla fluido.

—La recepción de los obreros me impresionó. Había algo especial en aquel lugar. Yo entendía que estaban usando el nombre del Señor Jesús y, sobre todo, que había espíritu, vida y poder ahí —recuerda él, quien, gradualmente, fue promovido a obrero y luego a pastor auxiliar aún en Bélgica.

Otro punto que me cautivó al instante fue saber que aquel muchacho estaba sediento de predicar la Palabra de Dios sin tener ni la más mínima idea de qué era la Universal en Brasil. Él no conocía el tamaño ni la fuerza de la Iglesia. ¿Cómo no recordar mis primeros pasos de pastor, sin algún interés personal, soñando con ganar almas a cualquier precio?

Años más tarde, en 2002, reencontré a Wai Lun en Inglaterra y nuevamente tuvimos una conversación directa:

—¿Tienes fe? —pregunté, sin entrar en detalles sobre la misión que le sería atribuida.

—¡Sí, obispo! —respondió Wai Lun, inmediatamente.

—*Ok*, entonces tú vas a abrir la Iglesia en Hong Kong. Dios te bendiga.

Otro salto más en la oscuridad. Un nuevo paso de fe.

29. UNIVERSAL CHINA

Hong Kong siempre resultó estratégica para nosotros por ser puerta de entrada para la evangelización a los chinos. Situada en la costa sur de China, su península y sus islas son actualmente una de las regiones administrativas dirigidas por el gobierno comunista. En toda China, son más de 1.3 billones de habitantes. Así es: ¡más de un billón de almas!

La Iglesia abrió sus puertas allá, en 2002, a través de Wai Lun, consagrado obispo en la reunión de inauguración del Templo de Salomón, y funciona en el piso 14 de un edificio, en el centro neurálgico de la ciudad. Yo hice reuniones en aquel templo y conocí de cerca los desafíos para la predicación del Evangelio en China.

Nuestros cultos se ofician en inglés y en mandarín, centrándose en un grupo de chinos que ya empieza a aceptar la fe cristiana. Además de la lengua, uno de los principales obstáculos para predicar en territorio chino son las barreras políticas impuestas por el régimen comunista. En muchas localidades incluso está prohibido leer la Biblia públicamente.

Como un trabajo hormiga, la Universal ha conseguido establecer su crecimiento. Las reuniones siempre están llenas de miembros fieles, a pesar de que la población sufre una excesiva carga de trabajo. En mayo de 2013, Hong Kong celebró incluso la consagración de un pastor chino: Tak Chi Wu, de 45 años. Él se mudó para allá con su esposa y dos hijas adolescentes después de conocer la Iglesia en Brasil.

La Universal de China ha desempeñado un papel imprescindible en la apertura de iglesias en países como Indonesia, Malasia, Tailandia, Taiwán y Singapur.

30. Millones de dioses

Después de China, el país más poblado del planeta es India con 1.2 billones de personas. Ahí actuamos desde hace 16 años esparciendo las enseñanzas bíblicas en una batalla contra la incredulidad y las tradiciones religiosas. Son millones de dioses, de todos los nombres y tipos, adorados de norte a sur del país.

La ciudad de Chennai, antiguamente llamada Mandrás, fue la primera en recibir uno de nuestros templos, en 1998. Un proyecto de persistencia. Realizar el trabajo misionero en aquel país es una tarea casi imposible. Las autoridades locales niegan la visa para legalizar la entrada de nuestros misioneros y rechazan la apertura de nuevos templos en el país.

Mi orientación para pastores y obreros es de jamás ofender la fe de las demás personas, sea cual sea. Una acción incesante. Aun así, enfrentamos las barreras del prejuicio religioso y de las agresiones.

En cierta ocasión, un pastor fue denunciado bajo la acusación de «evangelización» al distribuir folletos en la calle. Fue obligado a presentarse ante la policía india para finalmente ser puesto en libertad. Otro caso terrible fue el del padre de un joven recién convertido a la fe cristiana. Cuando supo que su hijo deseaba servir a Dios, prendió fuego en su propio cuerpo y solo por la compasión divina no perdió la vida.

Aun así, avanzamos gradualmente y con consistencia. La Universal ya cuenta con nueve pastores indios y dos templos en la ciudad de Chennai, en el estado de Tamil Nadu, con capacidad para más de trescientas personas, con nuevos fieles cada día.

31. INDIO: «*VAI ARREBENTAR!*»

Después de 16 años, tuve el placer de conocer a uno de nuestros primeros pastores indios: Sathish Kumar, de 31 años. Él vino a Brasil acompañado por su esposa Anitha Kumar a aprender más sobre el trabajo de la Universal. Yo recibí a la pareja personalmente en nuestro culto celebrado en la Av. Santo Amaro, São Paulo, en abril de 2013.

Frente a más de cinco mil presentes, Sathish habló sobre la impresionante transformación de su vida en la India:

Yo siempre fui hindú. Creía en decenas de dioses, pero no conocía al verdadero Dios, el Dios viviente de Israel. Trabajaba para el gobierno indio, tenía un empleo estable, pero no era feliz. Mi familia y yo siempre sufrimos de diversos males y solamente fui liberado después de poner en práctica la fe en el Dios de la Iglesia Universal.

Conocí una iglesia muy pequeña, hace 16 años, cuando las reuniones se celebraban en pequeños núcleos de oración en la India. Con el tiempo empecé a ayudar a las personas desesperadas de mi país que viven engañadas por tantos dioses.

Hay mucho sufrimiento entre el pueblo de la India. Delante de las dificultades, las personas recurren a un nuevo y diferente dios en cada momento.

Dejé todo para servir al Dios viviente: la seguridad de mi empleo, familia, amigos y me entregué como sa-

crificio viviente. Por la fe, actué confiando en la Pa-
labra de mi Señor. Ahora, quiero llevar a mi pueblo
ese Espíritu que encontré en la Iglesia Universal aquí
en Brasil.

Como nuestro obispo chino Pang Wai Lun, citado algunas páginas atrás, Sathish tampoco conocía a la Universal que vemos aquí en Brasil. Templos en todas partes, emisoras de televisión y radio, millones de miembros
y obreros. Al contrario, cuando conoció el Evangelio, la
Iglesia en la India era mucho más pequeña.

Valores así constituyen verdaderos hombres y mujeres
nacidos de Dios. Es la acción de la fe. Después del culto,
en medio de una conversación sobre el futuro de la Universal en la India, Sathish solo me dijo:

—*Vai arrebentar,*[3] obispo!

¿Dónde habrá aprendido eso?

32. TERRENO DECOMISADO EN VENEZUELA

Fueron años seguidos de luchas para realizar un sueño
de la Universal de Venezuela: comprar un terreno grande
y bien ubicado para construir la nueva sede nacional del
país en la capital, Caracas. Pastores, obreros y miembros
contribuyeron durante largo tiempo con sus ofrendas y
diezmos para la adquisición de este inmueble, que ocurrió en 2009.

---

[3] Es una expresión muy usual en portugués; se usa para indicar que, desde
el punto de vista del hablante, algo será un éxito. [N. de la T.]

El proyecto del nuevo templo ya había sido aprobado por las autoridades locales. Era una catedral moderna y confortable en uno de los barrios más tradicionales de la ciudad, contiguo a una comunidad necesitada. Cierto día, la dirección local de la Iglesia fue informada, de forma extraoficial, de que el entonces presidente Hugo Chávez había dado órdenes de decomisar el terreno. La práctica de nacionalizar empresas y expropiar inmuebles particulares es común del gobierno chavista.

La maquinaria ya estaba lista para iniciar las obras, los comprobantes de pagos completamente regularizados, pero no hubo acuerdo. La Guardia Nacional de Venezuela decomisó el terreno en mayo de 2011. La noticia de expropiación llegó oficialmente a la Iglesia por medio de un pronunciamiento de Hugo Chávez en la red nacional de televisión.

Intentamos todo: reuniones con el gobierno, ayuda diplomática, apoyo de autoridades brasileñas, pero nada funcionó. Hasta hoy el terreno continúa decomisado a la Obra de Dios.

El 5 de marzo de 2013, Hugo Chávez murió después de no superar el cáncer que le había sido diagnosticado.

33. Mis días en Rusia, Ucrania y Rumania

Una causa innegable del éxito del trabajo de la Iglesia Universal es el espíritu de abnegación de nuestro ejército de obispos, pastores y sus esposas. Insisto en reconocer que el empeño y la renuncia de millares de hombres de Dios, dedicados a la causa del Evangelio como Ester y yo, han sido fundamentales para la expansión internacional.

Reflexiono mucho sobre eso cuando viajamos y cruzamos las fronteras más distantes adonde la Iglesia ya llegó, como Europa Oriental, por ejemplo. Hace algunos años, hice concentraciones de fe con seminarios y templos llenos en Rusia, Ucrania y Rumania, entre otras naciones de aquella parte de Europa, y nuevamente quedé admirado con la seriedad y la disciplina del trabajo espiritual realizado allá.

En conversaciones con cada pastor, al igual que con otras personas también en lugares remotos del planeta, percibo algunas características en común. El pastor de la Universal no conoce límites. El pastor no tiene horario, no tiene vacaciones y casi no tiene días de descanso. El pastor no se avergüenza de no saber hablar un nuevo idioma. El pastor aplica todas sus fuerzas tanto para oficiar una reunión para cinco personas como para predicar en una concentración de millares.

Cuando hay un traslado, ellos solo van con una mano tomando la mano de su esposa y con la otra mano cargando una maleta. Entonces, la Iglesia nace, crece y permanece. Hay algo en estos hombres y mujeres que hace la diferencia: el Espíritu Santo y la valentía de renunciar en el altar a su propio futuro. Oro por cada uno de ellos todos los días. Agradezco a Dios por la vida de ellos y pido por la salvación de sus almas, el mayor tesoro que cargan dentro de sí.

Como siempre digo, los predicadores con carácter de la Universal son nuestra mayor riqueza. Para quien no lo sabe, hay pastores que no estudiaron lo suficiente para saber leer y escribir correctamente. Es verdad, pero aun así yo aprendo con ellos y no me avergüenzo de decirlo.

34. Almas ahogadas en el mar

Algunos de mis compañeros de Iglesia me recuerdan hasta hoy una conversación informal en la costa de Portugal contemplando la belleza y la grandeza del mar. Yo me detuve algunos instantes, miré el horizonte de aguas azules y les pedí que se acercaran a mí.

—Veo este mar como el mundo. Puedo imaginar a la humanidad ahogándose lejos de Dios, desesperada, pidiendo socorro. Ustedes y yo no vamos a lograr rescatarlos a todos, pero vamos a dar nuestra vida, todo de nosotros, con todas nuestras fuerzas, para salvar al mayor número de personas posibles.

Uso este recuerdo para agradecer a todos los obispos y pastores que renunciaron a su futuro para ayudarnos a esparcir la fe y continúan entregando la vida al Evangelio en la Universal en todo el mundo. Mi deseo era citar el nombre de cada uno de ellos aquí, pero eso resulta imposible.

Además de quienes ya tuvieron sus nombres registrados en las historias de este libro, cito a Romualdo Panceiro, Clodomir Santos, Marcelo Pires, João Leite, Djalma

Bezerra, Celso Junior, Ubirajara Fonseca, Renato Cardoso, Júlio Freitas, Franklin Sanches, João Urbaneja, Marcelo Cardoso, Manoel Francisco, Randal Filho y Marcelo Bryner, entre tantos otros obispos y pastores.

¿Cómo olvidar a hombres de Dios, guerreros que nos auxiliaron, guiados por el Espíritu Santo, para transformar a la Iglesia Universal en esa fuerza presente en todo el planeta?

Que Dios conserve en cada uno la fidelidad, la fe inquebrantable, el espíritu listo para extender la mano a los afligidos y, sobre todo, la salvación de sus almas.

35. Iglesia en el *APARTHEID*

Y es justamente en el continente más marcado por guerras y violencia en los tiempos modernos, África, donde ocurrieron los más bellos e increíbles episodios sobre el crecimiento de la Universal alrededor de la Tierra.

La decisión de ir a Sudáfrica, por ejemplo, fue audaz. El país sufría con el *apartheid*, régimen de segregación racial impuesto de 1948 a 1994. Blancos y negros no se mezclaban. El prejuicio y la violencia reinaban en las calles de esa nación africana. El sufrimiento de la exclusión y el dolor de la injusticia eran muy grandes.

En septiembre de 1992, cuatro meses después de mi encarcelamiento, aún con las heridas abiertas por haber sido víctima de tanta discriminación y de las más variadas trampas, convoqué al obispo Honorilton Gonçalves para hacer el primer trabajo en territorio sudafricano. La

Universal ya cosechaba frutos sorprendentes de crecimiento en Angola. La sed de los africanos de conocer al Dios de Israel llamaba mi atención.

Yo cargaba el sueño de evangelizar África desde mis primeros pasos de conversión, aún en Río de Janeiro. Siempre le comentaba a Ester que un día ganaría muchas almas en las ciudades, aldeas y tribus africanas. Siempre creí en la sinceridad de ese pueblo marcado a lo largo de los siglos por una trayectoria de opresión y desgracias.

Nuestro contacto para fundar la Iglesia en Sudáfrica era un pastor portugués conocido como Chagas quien, de inmediato, se dispuso a ayudarnos rentándonos la totalidad del templo de su denominación. Me pareció raro, pero decidimos creer. El predio estaba en un barrio que, en ese entonces, pertenecía exclusivamente a los blancos, llamado Bez Valley. El local era pequeño, pero estaba bien organizado. Parecía demasiado fácil para ser verdad. Luego percibimos que la propuesta era un *tiro no pé*.[4]

—Obispo, esa región parece un verdadero desierto. No pasa nadie por la calle. La mayoría blanca no sale de casa por el miedo a la violencia en el país —relató Gonçalves, por teléfono.

—Necesitamos enfocar nuestro trabajo en la población negra. Ellos saben qué es sufrimiento. Ellos necesitan ayuda —respondí, convencido.

---

[4] La traducción literal sería «disparo en el pie», pero es una expresión coloquial que se refiere a algo que fue hecho o planeado de forma errónea; la persona que lo hizo esperaba un buen resultado, pero terminó perjudicándose. [N. de la T.]

Al buscar nuevamente a Chagas, le contamos sobre nuestros planes de adquirir un templo en un barrio tradicionalmente de negros. Él se asustó y nos aseguró que sería una verdadera locura. Para él, los barrios negros eran lugares sin ley, peligrosos, donde los blancos corrían un serio riesgo de morir.

—Cuando los negros se apoderen de todo en las próximas elecciones, este país caerá en una guerra civil. Los blancos serán asesinados en las calles. Ustedes no pueden permanecer aquí. Regresen a casa —aconsejó el pastor Chagas.

—¡Ahora sí! Estamos en el camino correcto. Esta es una señal clara de que vamos a crecer —afirmé ante Gonçalves.

Mientras buscábamos un espacio en los barrios negros, la iglesia en Bez Valley comenzó a llenarse debido al servicio de evangelización de puerta en puerta. Las reuniones se llevaban a cabo en portugués e inglés.

En enero de 1993, por fin, encontramos nuestra nueva sede en Sudáfrica: un inmueble rentado donde funcionaba un supermercado, justo en el centro de la terminal de transporte público más grande de Johannesburgo, en la calle Hoek, punto de intenso tránsito de la población negra en la capital.

Lo que nunca imaginé es que ese predio sería protagonista de una de las más impresionantes historias de fe en toda mi vida.

36. FE QUE UNE A BLANCOS Y NEGROS

Debido a la oleada de ofensas personales contra mi familia y contra mí en Brasil y en Estados Unidos, desencadenada después de comprar la Record, decidimos mudarnos a Sudáfrica en agosto de 1993. Durante un año viví recorriendo las principales ciudades africanas, y en ese tiempo conocí aún más de cerca la belleza interior y la ternura de ese pueblo tan querido.

Hasta hoy, cuando regreso a África durante mis viajes misioneros, parece que estoy en casa. Hago las reuniones con mucho entusiasmo y lleno de ganas de no abandonar nunca más aquel continente. Al reencontrar a los primeros miembros y obreros, vienen a mi memoria momentos sin igual del inicio de nuestra obra evangelizadora.

Aún en los años noventa, cuando todo comenzó, tuvimos que acostumbrarnos a la pasión de la población por la música y por el baile. Incorporamos esas características culturales a nuestro modo de celebrar los cultos, sin dejar de enseñar al pueblo a vivir por la fe inteligente. La ropa de colores y los gritos de euforia son usuales durante las reuniones.

Los miembros africanos también tuvieron que acostumbrarse a nuestra presencia en su vida cotidiana, finalmente éramos un grupo de blancos e inmigrantes predicando esperanza y superación. Para la mayoría, la presencia de blancos en su vida significaba únicamente maltratos y explotación.

Por primera vez en la vida, negros oían de los pastores blancos de la Universal: «Sí, ustedes pueden vencer. Sí, Dios los ama a ustedes como ama a los blancos. Nosotros estamos de su lado. Ante nuestro Dios, negros y blancos son plenamente iguales». Y bailábamos, cantábamos y orábamos abrazados lado a lado con gente que nunca antes se había acercado a un blanco.

Rápidamente, la Iglesia detonó su crecimiento de esquina a esquina de Sudáfrica y de los países vecinos del continente. Conforme su fama se esparcía en las ciudades sudafricanas, la Universal recibió sobrenombres. En algunas regiones fue nombrada como «la Iglesia que trajo lluvia». Moradores locales atribuían a la fe en el Señor Jesús el fin de largas épocas de sequía.

En Johannesburgo es conocida como «la Iglesia que detuvo la violencia en los trenes». En aquel tiempo, la ciudad tenía elevados índices de asesinatos en los vagones de tren que partían rumbo a las comunidades necesitadas. Diariamente llegaban noticias de hombres, mujeres y hasta niños baleados o muertos a puñaladas mientras paseaban o regresaban del trabajo. Con la evangelización de los pastores y obreros en los trenes, la violencia disminuyó.

En pocos meses, las reuniones juntaban a tanta gente que llegaba hasta las aceras. Recuerdo la inauguración de uno de nuestros templos en Sudáfrica, anunciada en un espacio publicitario de un periódico muy popular. La propaganda de la Iglesia fue publicada en la página de atrás del anuncio de un famoso brujo local. En la primera reunión de domingo, ya al inicio, más de doscientas personas asistieron. Y fue una progresión aritmética, domingo tras domingo: cuatrocientas, seiscientas, ochocientas y más de mil personas hasta que el espacio dentro del templo ya no era suficiente.

Siempre fue impresionante la receptividad positiva hacia nuestro trabajo. Hacíamos el mismo trabajo de atención espiritual y evangelización que en Brasil, pero el pueblo necesitado respondía con multitudes. Las reuniones de liberación y cura se llenaban de vidas transformadas. Cuando distribuíamos folletos con invitaciones para las reuniones, las personas literalmente peleaban para arrebatarlos de nuestras manos.

La carencia de Dios siempre hizo que mis ojos se llenaran de lágrimas.

37. Lo increíble en Johannesburgo

El aumento acelerado de fieles ocurrió primero en nuestra antes sede en Johannesburgo, en un viejo y caluroso predio en el barrio de Park Station, inaugurado en enero de 1993. Ahí tuvo lugar una de las experiencias con Dios que más me han sorprendido en toda mi vida. Uno de los episodios más conmovedores en toda nuestra trayectoria de crecimiento en el mundo exterior.

La iglesia estaba en el sótano de un antiguo supermercado fuera de servicio. Sin ventanas para la ventilación, sin aire acondicionado y sin escaleras mecánicas de acceso hasta la acera. Resultaba imposible respirar correctamente con tanto calor. El olor era fétido debido a la putrefacción de los restos de frutas y verduras desechados por los comercios vecinos. Ratas y cucarachas compartían el mismo espacio con los pastores y el pueblo. Si cualquier órgano de salud pública hubiese ejecutado algún tipo de inspección, seguramente el predio habría sido clausurado al momento.

El sótano tenía capacidad para 250 personas, pero las reuniones ya rebasaban el límite con más de quinientos fieles por culto. Estábamos obligados a realizar cinco reuniones diarias, siete días a la semana, para atender la demanda de afligidos y desesperados.

El primer día que puse mis pies en aquel lugar no se borra de mi memoria. Poco antes de llegar a la reunión, observé a nuestra vecina a pocas casas de distancia, enfrente. Era una iglesia anglicana, con imponente arquitectura, la fachada revestida de piedras, construida en un amplio terreno. Los portones estaban cerrados aquel domingo, ya que el edificio funcionaba solo tres veces a la semana para media docena de personas.

Al entrar en aquel sótano y ver la escena de la multitud encogida, abanicándose por el calor y para apartar el mal olor del ambiente, fui poseído por una furia interior. Lo confieso: realicé la reunión enojado. Una indignación profunda invadió mi espíritu y mi mente. El olor insoportable de comida descompuesta era combustible para mi furia. Sostenía el micrófono con ganas de gritar. La imagen del pueblo oprimido y el recuerdo de la iglesia anglicana de puertas cerradas despertaron mi ira.

Apenas terminó la reunión, al pasar enfrente de aquella linda catedral cerrada, mi interior se incendió de furor. Cerré los ojos, apreté los puños y clamé a Dios en una oración silenciosa, pero poseída por la indignación:

—Dios mío, ¿esto es justo? ¿Es justo esta iglesia enorme, vacía y cerrada mientras tu pueblo, sediento de la Palabra, está en aquel sótano como sardinas enlatadas? ¿Acaso Aquel que hizo los ojos no ve tamaño disparate de injusticia? ¿Aquel que hizo los oídos no oye el clamor de este sufrido pueblo?

Mi sufrimiento al ver a los fieles y a nuestra Iglesia humillados generó en mí indignación. El dolor de la injusticia provocó la furia. La furia despertó la fe. La fe puesta en práctica produce efectos inmediatos.

Dos años más tarde, en aquel mismo local, construimos la primera gran catedral de toda África para 1,800 personas. Y hoy, una década después, levantamos en el mismo local una nueva catedral aún más amplia con capacidad para 7,000 fieles sentados.

Adquirimos los inmuebles de la cuadra entera. Compramos el sótano sofocante para transformarlo en un estacionamiento subterráneo. En la misma cuadra, frente a la mencionada iglesia anglicana, también adquirimos un predio de 32 pisos, dedicado ahora para el trabajo administrativo de nuestra sede y para vivienda de los pastores.

En toda Sudáfrica, actualmente son más de 380 templos esparcidos de Norte a Sur, con millares de obreros y millones de miembros fieles.

¿Necesito escribir algo más?

38. GRITO DE LIBERTAD EN SOWETO

Otra de nuestras catedrales más deslumbrantes en

el mundo es la de Soweto, distrito de Johannesburgo, escenario de conflictos del pueblo negro contra el *apartheid*. Quien pasa hoy cerca del magnífico predio, que desentona con el paisaje de casas y comercios humildes de la región, no imagina el camino tortuoso al que nos enfrentamos mis compañeros de la Universal y yo.

Sin duda, es otra de las historias más conmovedoras del avance de la Iglesia en todo el planeta.

Mis compañeros y yo vivimos esa época difícil en Sudáfrica. Como describí algunas páginas atrás, era la época final del *apartheid*, Nelson Mandela ya había sido puesto en libertad, pero aún existía una brutal rivalidad entre negros y blancos por las calles del país. La mayoría de la población africana es negra y muy pobre.

El régimen de segregación hizo que la minoría blanca poseyera el poder económico y político. En general, los negros eran empleados domésticos de los blancos o trabajaban en fábricas. Personas humildes y sufridas. Los negros eran obligados a vivir apartados de los blancos. Soweto siempre fue el lugar de ellos.

En una de mis primeras reuniones con los pastores de África, al inicio de los años noventa, dirigí la línea de acción de nuestro trabajo misionero:

—Conforme la enseñanza de la Biblia, necesitamos enfocar nuestro mensaje en las personas sufridas. Los blancos serán muy bien recibidos en nuestras iglesias, claro, pero el enfoque espiritual debe estar en los negros. Vamos en busca de los africanos sufridos.

Desde el inicio, mi sueño siempre fue abrir un gran templo en el corazón de Soweto. Una sala de urgencias espiritual, 24 horas de guardia, para atender a los sedientos de Dios. Como siempre, no faltaron los intentos de desanimar nuestro trayecto. En un encuentro con líderes evangélicos sudafricanos, el pastor de una denominación tradicional decretó que resultaba imposible el éxito de una «iglesia de blancos» en Soweto.

—¡Es imposible! Si ustedes, brasileños, no lo saben, a los blancos les está prohibido entrar en ese distrito. Soweto es un lugar muy peligroso. Los negros matan a los blancos sin piedad. Es toda una locura.

Como siempre hicimos, no prestamos oídos al derrotismo y al poco tiempo logramos rentar un predio viejo y abandonado, con una pobre y precaria estructura, en una calle residencial de Soweto.

Era un lugar descuidado, con vitrales rotos en las ventanas, por donde entraban muchas palomas que ensuciaban el salón. El piso era de cemento rústico. El espacio resultaba amplio, con capacidad para 2,000 personas, y en poco tiempo juntó sudafricanos hasta afuera de sus puertas. El sistema de sonido también era débil. Solo teníamos una bocina. No había altar. Yo prediqué innumerables ocasiones sobre cajas de madera que recogíamos de un pequeño mercado vecino.

Y así, paso a paso, de boca en boca, la Iglesia conquistó millares de habitantes de Soweto. Nunca sufrimos ningún tipo de violencia o maltratos de aquel pueblo amado y gentil. Demostramos que no existe diferencia entre blancos y negros en nombre de la fe. Todos son almas en la Universal.

IGLESIA DE CRISTO 212 677-7970
East Side CHURCH of CHRIST 212 677-6608

PARE DE SUFRIR
IGLESIA UNIVERSAL DEL REINO DE DIOS

Nueva York, en Estados Unidos, fue el lugar escogido para ampliar el trabajo de la Universal por el mundo. Nuestra primera sede en territorio estadounidense guarda recuerdos de un tiempo de dedicación y amor al Evangelio que se mantuvieron hasta el día de hoy.

BOSTON

TEXAS

Jesus Christ is The Lord

THE UNIVERSAL CHURCH

Jesucristo es el Señor
IGLESIA UNIVERSAL
DEL REINO DE DIOS

JESUCRISTO ES EL SEÑOR

En Portugal sentimos el dolor del prejuicio y de la intolerancia, pero persistimos en el trabajo de rescatar a los sufridos y, entre otros logros, construimos la primera catedral europea en Porto [a la derecha].

En Lisboa, la belleza del Cinema Imperio transformado en una sala de urgencias espiritual.

Documento oficial de la Justicia portuguesa que exoneró a la Iglesia de todas las acusaciones desde su fundación [a la izquierda]. Predicar en aquel país siempre fue uno de mis mayores placeres.

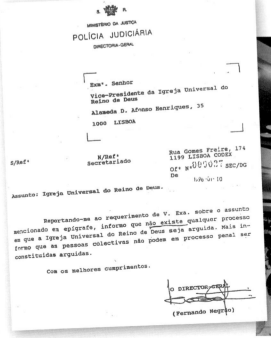

Recibí a uno de nuestros pastores indios y a su esposa en el culto realizado en São Paulo. La nación de millones de dioses ha conocido al Dios viviente.

Estuve en Japón dos veces para predicar la Palabra de Dios. La evangelización en el mundo oriental es un desafío antiguo para la Iglesia que está siendo vencido en los últimos años.

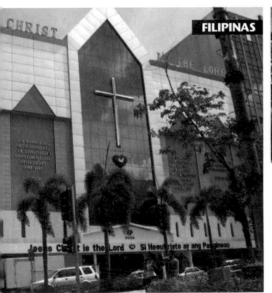

FRANCIA

RUSIA

En Londres adquirimos la antes
casa de espectáculos Rainbow
Theatre, en el barrio de Finsbury,
que pasó por varias remodelaciones
y se convirtió en uno de los edificios
más bellos y tradicionales en
Inglaterra. En Ucrania y en Rusia
me impresioné con el avance que el
trabajo espiritual ha tenido.

UCRANIA

1. Las puertas para el Evangelio, en América del Sur, se abrieron por medio de Argentina. Sufrimos ataques de la prensa prejuiciosa, pero hoy la Universal es respetada. El bello edificio de esquina, con imponente arquitectura, alberga a nuestra sede en Buenos Aires.

2. Así como en Argentina, las ofensas fueron intensas en Chile al punto de expulsar del país a pastores de la Iglesia Universal y a sus familias, sin respetar las solicitudes diplomáticas de Itamaraty. El tiempo comprobó nuestra total inocencia.

MÉXICO

SUDÁFRICA

BEZ VALLEY

África es mi casa. Aquel continente sufrido, con su pueblo víctima de tantas injusticias y dolores, fue protagonista de las historias más conmovedoras del crecimiento de la Iglesia en todo el planeta.

En Senegal, uno de nuestros templos fue completamente destruido, lo reconstruimos y en la inauguración asistieron más de 2 mil personas. El Evangelio se fortalece cada día más en las naciones africanas.

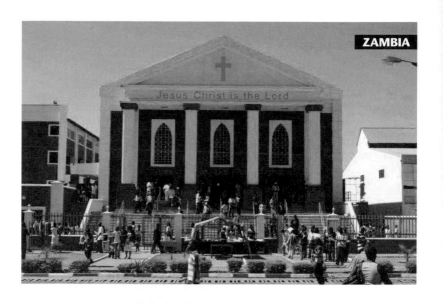

ZAMBIA

BOTSUANA

CABO VERDE

¿Cuál es el secreto del crecimiento de la Iglesia Universal alrededor del mundo? ¿Cómo partir de cero y llegar a más de cien países sin el apoyo de ningún gobierno ni el patrocinio de ninguna gran empresa privada? ¿Cómo avanzar tanto en tan poco tiempo? ¿Alguien cree que un hombre por sí solo es capaz de hacer eso? Piense y reflexione.

La imagen del día que realicé el culto de inauguración, en marzo de 2009, habla por sí misma: seis mil sudafricanos ocuparon los asientos del templo y más de cuatro mil acompañaron la reunión desde fuera, en el estacionamiento. Faltó espacio para tanta gente. La reunión fue hecha en inglés, con traducción simultánea a los dialectos xhosa y zulú. Además de orar y meditar en las enseñanzas bíblicas, bailamos y cantamos, lado a lado con hombres, mujeres y niños, en un domingo que jamás abandonará mi memoria.

Los días en Soweto incitaron mi inteligencia para algunas preguntas. ¿Cómo un blanco logra reunir a tanta gente en el corazón de la insurrección de los negros contra el racismo? ¿Cómo un inmigrante brasileño, con un nivel aceptable de inglés, logra recibir tanto respeto y cariño del pueblo de aquel distrito?

¿Cómo las lecciones de fe de una Iglesia que nació en un suburbio de Río de Janeiro conmueven tanto a hombres y mujeres, durante décadas, sedientos del derecho a la libertad? ¿Por qué obispos y pastores de la Universal, casi siempre blancos y brasileños, son tratados con tanta reverencia en el lugar menos probable para eso?

Es la prueba incuestionable e irrefutable de la dirección del Espíritu de Dios en el trabajo que iniciamos 37 años atrás.

Mi lucha contra la injusticia y la opresión de los que sufren lejos de Dios es la misma que la de los negros que se indignaron contra la discriminación racial inhumana y cruel en el continente africano.

«*Mujer ejemplar, ¿quién dará con ella?*
Su valor excede al de las piedras preciosas.»

(Proverbios 31:10)

CAPÍTULO 2

UN TESORO EN CASA

AMOR PURO

El silencio tiene un valor supremo. Aprendí a preservar los instantes de ensimismamiento en los periodos más difíciles de mi vida. El silencio comienza por mí. Cuando me callo, el Espíritu habla. Y el espíritu oye. Así es posible conversar con Dios y oír su voz en lo más profundo de nuestro interior.

Preservo en mi rutina esos momentos sagrados en busca de intimidad espiritual. Solo, en la sala o en la oficina, en la terraza de una casa o en el balcón de un departamento con vista al horizonte, me escondo del ruido y me aíslo del mundo.

En los cultos que realizo desde mis primeros pasos como predicador del Evangelio, hace cincuenta años, siempre motivo el momento de silencio en medio de las oraciones. En plena reunión, como hasta ahora es costumbre en la Iglesia Universal del Reino de Dios, pido a todos guardar silencio durante algunos minutos en medio de nuestro ritual de alabanza. Sin música, súplicas, lamentos. Sin una palabra. Ni siquiera un sonido.

Hay una finalidad mayor para esa práctica: el alma arde con el silencio dirigido a Dios.

Creé ese hábito para incitar a las personas a examinar sus propias almas. Interrumpir el ajetreo del día a día exige más de nosotros mismos. Exige entrega. El silencio pensando en Dios nos obliga a hacer una pausa para reflexionar, el autoexamen y el autodescubrimiento. Eso surge de la disposición de abrir nuestros pensamientos y el deseo más profundo de ser guiados por la voluntad divina. Lleva a la reflexión respecto de quiénes somos en relación con las circunstancias y experiencias que vivimos. Una mirada más profunda sobre todo lo que nos rodea, nuestra condición de existencia, sobre nuestros deseos y sueños.

Una que otra vez esos mis periodos de privacidad son interrumpidos apenas por una voz suave y llena de dulzura. Es Ester, mi esposa y fiel compañera con quien comparto la vida hace casi 43 años. Cierto día, en medio de esos momentos sagrados de silencio, me detuve a pensar en la importancia de ella para mí y cómo estuvo a mi lado durante las fases más penosas a lo largo de mi vida.

En el desafío de enfrentar el rechazo de varios líderes evangélicos. En la lucha, muchas veces sin gloria, por una única oportunidad de predicar la Palabra de Dios. En el sufrimiento del nacimiento de Viviane, nuestra hija más joven. Los gritos de dolor al saber de su deficiencia física. En las consecutivas cirugías de nuestra niña que nos llevaron al límite de la resistencia emocional. En el momento exacto de mi encarcelamiento. Los once días más largos de mi vida. En la batalla por comprar Rede Record contra la presión de políticos y de los mayores grupos empresariales del país. En la tortura moral de que nuestra dignidad fuera lanzada a la letrina por los medios de comunicación hasta entonces más poderosos de Brasil.

Dramas relatados a lo largo de esta trilogía de memorias. En cada desierto, ella estaba a mi lado.

En esos momentos de tribulación, ¿en quién me apoyaba además de en mi convicción en Dios? ¿Quién me daba fuerzas, además de Dios? ¿Quién estuvo siempre a mi lado y me dio confianza? ¿Quién fue siempre mi fiel auxiliadora?

Ester.

Jamás olvidaré su presencia en mi vida. Es algo tan fuerte y enraizado como todas mis pesadillas en el desierto, como todos los ataques y ofensas que enfrenté en el transcurso de este tiempo. En todos mis momentos de amargura, ella estaba ahí, a mi lado, dándome fuerzas e inyectándome ánimo. Soporté lo que soporté porque he tenido una esposa, una compañera, una verdadera mujer a mi lado.

Asimismo, no sé, con detalles, todo lo que pasó dentro de ella en nuestras fases de mayor agonía y los aprendizajes y lecciones espirituales que carga dentro de sí al vivir como protagonista anónima de tantas historias en estas últimas cuatro décadas. Pasamos por circunstancias que mucha gente ni imagina. Superamos dolores de agonía como precio por la dedicación total al Evangelio. Asumimos una vida de abnegación.

Ester es realmente una ayudante, ella cumple su papel de mujer. Si no estuviese a mi lado, innumerables situaciones habrían sufrido un destino diferente. Honestamente, no tengo idea de cómo sería hoy mi vida.

Esta historia de amor y fe comenzó al inicio de los años setenta, en Río de Janeiro.

Aún soltero, con 26 años de edad, yo buscaba una mujer enviada por Dios para mí. Los brazos de la cruz debían tener el mismo ADN de la barra vertical, como siempre acostumbro decir en mis mensajes a quienes están comprometidos y a quienes son novios. Yo tuve muchas novias, pero ninguna de ellas me dio certeza interior. No había fe que sustentase el amor. Hasta me gustaba esta o aquella muchacha, pero faltaba una certeza absoluta. Desde el día que conocí a Ester, nunca, jamás, en momento alguno, tuve duda de que ella sería la mujer de mi vida.

En aquel tiempo, yo ya frecuentaba la Iglesia Evangélica Nova Vida [Iglesia Evangélica Nueva Vida], en el barrio fluminense de Botafogo. Y tenía un miedo que rayaba en la desesperación: tener un matrimonio arruinado. Tanto recelo no carecía de fundamento. Eraldo y Celso, mis hermanos, ya tenían esposas, pero las parejas vivían en pie de guerra. Muchas veces hasta se agredieron físicamente. Viví todo de cerca. La mujer de Celso, Eliana Bezerra, hasta hoy guarda en su memoria esas peleas.

—Yo celaba mucho a Celso, discutía con él todo el tiempo. Otro serio problema eran nuestros hijos. Tuve cuatro hijos y, en medio de ellos, perdí a cuatro bebés prematuros. El obispo Macedo nos ayudó mucho, nos aconsejaba. Gracias a eso nuestro matrimonio funcionó —cuenta ella, hoy miembro fiel de la Universal.

Después de mi encuentro con Dios, entendía que la decisión más importante de mi vida sería acertar al elegir una esposa.

No desperdicié la oportunidad cuando una colega de la Iglesia, la bella joven Ester Eunice Rangel, me pidió ayuda en matemáticas, mi asignatura favorita. En ese entonces, Ester hacía un curso de preparación para obtener un empleo en un banco estatal.

Las clases particulares nunca ocurrieron en realidad. En el primer encuentro, al salir del curso, una sorpresa. Con arrojo, pronto puse mis manos sobre los hombros de ella.

—¡Eres un atrevido! —dijo Ester, encarándome, antes de apartar mis brazos.

—¡Sí lo soy! —respondí. Y puse mis manos sobre sus hombros nuevamente.

Hasta hoy, Ester recuerda ese día con detalles:

—En el fondo, aquella actitud captó mi atención. Me gustó su determinación. Él mostró que estaba decidido, sabía lo que quería, no era un sujeto voluble. Mostró firmeza, un carácter firme, determinado. Me fascinó desde el primer día. Y después lo que hace; estoy encantada con su trabajo. Me siento realizada como si yo misma estuviera haciéndolo.

Los dos acabábamos de terminar noviazgos. Ester había descubierto que no le agradaba su anterior novio. Y yo, ya en los preparativos finales para la boda, me decepcioné con una única actitud de mi novia. Fue suficiente.

Cuando vi a Ester por primera vez, de hecho, dije que me casaría con ella. Pero fui precavido. Investigué su ficha de registro en la oficina de la iglesia. Descubrí que era de una familia evangélica, cuyo abuelo había sido pastor de una denominación tradicional. Y empecé a «perseguirla».

—Él me seguía en el momento de tomar asiento para el culto. Si yo me dirigía hacia un lado, él iba también. Yo iba a otro lado, y allá estaba Edir —recuerda Ester, en nuestros momentos de cariño.

Fue un romance relámpago. Días después de declararme, le pedí permiso al padre de Ester para ser novios. No perdimos tiempo. En solo ocho meses fuimos novios, nos comprometimos y nos casamos. Estábamos muy apasionados y felices.

Ester tenía algo más. Fue mi primer amor. Parece que estábamos buscándonos el uno al otro desde hacía años y nos habíamos encontrado en aquel momento. Recuerdo la primera vez que fuimos solos al cine. ¡Qué maravillosa noche! Estuvimos pegados el uno al otro durante toda la película, entre abrazos y besos cariñosos. Por cierto, no recuerdo ni el título de la película…

Congeniamos perfectamente, aunque siempre hemos tenido nuestras imperfecciones. Sé que mi temperamento osado, por ejemplo, asustaba a Ester muchas veces. En cierta ocasión, antes de la boda, ella me dijo abiertamente, sin medias palabras:

—Creo que ya no voy a casarme contigo. Tengo miedo. No sé si es la voluntad de Dios.

Y le respondí, tajante:

—¡Pero yo estoy seguro! ¡Estoy seguro de que es la voluntad de Dios!

Y perseveramos sin titubear.

Los desafíos fueron muchos antes de unirnos en el altar. Cierta vez, un pastor le dijo a Ester, de forma incisiva, que el matrimonio no iba a funcionar. Alegó que tuvo una visión: ella se encontraba en un lugar alto, llorando amargamente. Lo curioso es que, años más tarde, quien vio su matrimonio arruinado fue el tal «pastor adivino».

No había duda en nosotros. El 18 de diciembre de 1971 firmamos nuestra alianza de matrimonio en la Iglesia Nova Vida, de Bonsucesso, en Río. Una fiesta sencilla, pero inolvidable. Las fotos muestran mi expresión sonriente y feliz, encantado con la linda novia. Yo tenía una sonrisa de oreja a oreja.

Desde ese día en adelante, Ester y yo somos uno solo. Nuestra afinidad es evidente. Una mirada, un gesto, media palabra y ya entendemos qué queremos decirnos. Eso no significa siempre afinidad de opiniones, pero sí saber qué hacer, o dejar de hacer, para ser del agrado del otro.

Siempre estamos juntos, pegaditos desde el primer día de unión. A la hora de la comida, en los viajes misioneros, en los momentos de ocio, en los paseos sabatinos. Al momento de arreglarme para la predicación, ella me ayuda a cerrar el cuello de la camisa y yo opino sobre la combinación de los colores de su vestido. En las reuniones con los miembros o con los pastores, ahí está ella, siempre en las primeras filas.

Ester es mi puerto seguro. El guerrero está acostumbrado a batallar y sacrificarse fuera, pero cuando llega a casa, necesita brazos cariñosos, palabras dulces, unos hombros y un cuello, una caricia para renovar sus fuerzas. Para mí, ella es ese refugio.

Es increíble cómo dependo y siempre dependí de Ester. Es increíble el tamaño de mi amor por ella.

Amor. Simplemente amor.

CENAR SIN CAMARONES

Durante la luna de miel con Ester, no conseguí un auto prestado para viajar. Tuvimos que transportarnos en autobús hasta un hotel sencillo de la ciudad de Caxambu, en Minas Gerais. Y lo peor: arrastrando las maletas desde la Estación de Leopoldina hasta la autopista Novo Rio. Durante todo el trayecto, la felicidad de Ester contrastaba con mi enojo.

Pero el enojo se me pasó rápido. Era noche de bodas.

De regreso a casa comenzaron las dificultades de la rutina de alguien casado. El costo de vivir juntos era alto. Yo trabajaba demasiado sin ver los beneficios de tanto esfuerzo. Los cálculos hechos con el valor actual de la moneda dan una idea del tamaño del aprieto. Mi sueldo neto como funcionario correspondía a cerca de 495 reales. Solo de renta, con cuotas e impuestos, pagaba 315 reales. Devolvía mensualmente 55 reales como diezmo, por lo que me sobraban, en promedio, 125 reales. Como no teníamos televisor, adquirí uno por financiamiento a largo plazo en la tienda Baú da Felicidade, de Silvio Santos. Compré el aparato de 13 pulgadas con una deuda de 36 mensualidades. El restante nos permitía sobrevivir. Pero nada de gastos extras en nuestro hogar. Vivíamos por la fe, pero en el límite.

Cinco meses pasaron en un departamento rentado en el barrio de Catumbi, en Río, hasta que el conducto de aguas residuales del edificio se desbordó, justo enfrente de nuestra habitación. Continuar habitando ahí se volvió inviable. La suciedad propagó cucarachas por todos lados. Y me aterrorizan las cucarachas —repulsión descubierta por mi mujer en la semana de luna de miel, cuando una de ellas, voladora, invadió nuestro cuarto. Ester se vio obligada a matar al insecto. Yo me enfrento al diablo, pero no me enfrento a una cucaracha.

No hubo otra salida. Tan pronto como descubrimos la alcantarilla abierta, inmediatamente fuimos forzados a vivir con los padres de Ester en el Jardín América, igual en Río. Dormíamos en el que antes fuera su dormitorio, en dos camas individuales. Ester tuvo que renunciar a sus muebles nuevos, comprados con tanta dificultad. Su padre tenía una tienda de materiales para la construcción y los muebles terminaron depositados entre cemento, tierra y arena.

Además de todo, yo me levantaba muy temprano para ir hasta el centro de la ciudad. Tardaba una hora y media en autobús para llegar al trabajo. Pasamos cinco meses en esa asfixia. Un recuerdo doloroso. No porque hayamos perdido nuestra libertad, sino porque el Jardín América estaba infestado de grandes mosquitos que no nos daban un minuto de sosiego. Día y noche hacían de nuestra vida de recién casados un verdadero pedazo de infierno.

Soportamos el infierno de aquellos mosquitos durante casi cuatro meses y entonces nos mudamos al barrio de Grajaú, también en Río. Con los ahorros generados por vivir en la casa de mi suegro, logramos dar el enganche para comprar un *Volkswagen* Sedán 0 km. Pero eso tuvo un precio. Ester se vio forzada a conseguir un empleo con su tío para ayudar a pagar las nuevas cuentas de la casa.

La vida financiera parecía mejorar, hasta que, un año después, quedó embarazada de Cristiane, nuestra primera hija. Aun encinta, continuó trabajando. Cuando la bebé tenía dos meses, volvió al trabajo. Dejaba a nuestra hija bajo el cuidado de la abuela materna durante la mañana y solo volvía a verla en la noche, después del horario laboral.

En medio de tantos imprevistos, después de cinco meses quedó embarazada por segunda vez. Ahora, de Viviane. Fue una conmoción. De ninguna manera podíamos tener otro hijo. Cuando recibí la noticia, me invadió la desesperación. En ningún momento por la alegría de tener una segunda hija, sino por enfrentar la escasez económica con el aumento de gastos, principalmente debido a las necesidades médicas del tratamiento de Viviane.

Dentro de casa todo era contado. Lo que ganaba apenas alcanzaba para cubrir la renta, los pagos del automóvil y los gastos del hogar. La asfixia financiera generó situaciones vergonzosas e irónicas.

Desde soltera, Ester siempre comentaba que adoraba los camarones a la parrilla de los restaurantes de la Barra da Tijuca, en Río. Ella había probado ese platillo una vez con su hermano y nunca más lo olvidó.

Recién casado, sin conocer las marcas gastronómicas de aquel tiempo, invité a Ester a cenar camarones a la parrilla en un antiguo restaurante tradicional de la famosa Loja Mesbla, en el barrio de Botafogo. Era un local muy fino, muy de moda en esa época, con uno de los menús más caros de la ciudad. Mi promesa de cumplir la voluntad de mi nueva esposa, finalmente, se cumpliría.

Al abrir las puertas del elevador, en la azotea del edificio, de pronto la imagen me quitó el aliento. Platos y accesorios de cristal, candelabros lujosos, decoración refinada. Los camareros, muy presentables, pronto vinieron a recibirnos a la puerta y a conducirnos educadamente hasta la mesa.

Cuando me senté, recordé algo aterrador: yo tenía, equivalente a la moneda de aquella época, ¡solo veinte reales en el bolsillo!

Joven, aún sin experiencia, no tenía idea de los precios de los restaurantes más famosos. Estaba acostumbrado a los llamados «restaurantes *pés-sujos*».[5] Recordé también que no tenía tarjetas de crédito ni talonario de cheques. Pasé mi mano alrededor de mi cabeza y le susurré a Ester:

—Estoy perdido. ¡Esto debe ser una advertencia!

El camarero se aproximó con menú en mano. Vimos las opciones mientras comencé a sudar frío de tanto sofoco.

---

[5] La traducción literal sería «restaurantes pies sucios». Se refiere a establecimientos donde se vende comida a bajo costo o de mala calidad. [N. de la T.]

—Mi esposa desea comer camarones a la parrilla —le dije al elegante empleado.

Él se excusó para revisar la solicitud y se retiró. En aquel tiempo, ese tipo de marisco era un platillo aún más caro. Fueron minutos de tensión. Al regresar, la respuesta fue fatídica:

—Lo siento mucho, señor. No tenemos camarones a la parrilla.

Miré a Ester, dejé el menú y agradecí al camarero:

—Huy, qué pena. Nosotros solo queremos comer camarones a la parrilla. Muchas gracias.

Y salimos del restaurante al momento. Aliviados.

Volvimos a casa aquel día, en el Jardín América, sin cenar e incluso riéndonos de esa situación embarazosa.

Aun así, con todas las dificultades, nuestra vida afectiva iba bien. No faltaba el cariño y la atención entre nosotros. Ester valientemente resistió todos esos periodos de turbulencia financiera, sin reclamar nada. Nuestro matrimonio estaba iluminado por el Espíritu de Dios.

La llegada de Viviane, contrario a lo que muchos imaginaban, selló por fin nuestra unión. Ester y yo aprendimos a depender más el uno del otro. Exactamente como ocurre en la relación con Dios. Las tribulaciones accionan la práctica de la fe y del amor y hacen más estrecha la comunión con Él. Ese es el secreto para vencer las dificultades en el transcurso de la vida juntos.

Enseño a los solteros que el matrimonio no debe realizarse basado en la pasión. No debemos seguir al corazón, ignorando el raciocinio. Casarse no solo exige amor, sino, sobre todo, convicción, certeza de que fue la elección correcta, de acuerdo con la orientación bíblica. Si una persona no cree que el matrimonio va a funcionar, es mejor que no se case. Aun si el otro le agrada. Un mal matrimonio transforma la vida de cualquiera en un infierno.

Ester y yo, como cualquier pareja al inicio de su relación, también vivimos momentos difíciles, pero nunca dimos espacio a la duda para corroer nuestra unión. Un día, en medio de una discusión, Ester se giró hacia mí y me dijo:

—Mira, Edir, tú eres muy testarudo. Tú eres así, así y así, etc. Y si continúas de ese modo vamos a separarnos.

Interrumpí en el mismo instante y contesté a Ester, con vehemencia:

—¡Nunca más digas esa palabra, por favor! Aquí en casa esa palabra está prohibida. Aquí no existe eso.

Corté la duda al instante porque creía, creo y siempre creeré en la inmortalidad del amor. Es la fe. Se trata de usar la convicción inteligente, la certeza absoluta para que la unión permanezca y se perpetúe. El verdadero amor jamás acaba. No existe fin para este tipo de sentimiento genuino. La experiencia nos muestra que, cuando el amor de verdad existe, el momento de conflicto y tensión se convierte en un aprendizaje para conocer al compañero más a fondo.

¿Cómo podría saber quién es Ester en realidad si no la conociese molesta? ¿Cómo me conocería a fondo si no me hubiese visto airado o enfadado? Ella y yo necesitamos reaccionar para mostrar nuestra manera de ser, nuestro temperamento, nuestro carácter, nuestros hábitos y, así, construir una relación sólida e inquebrantable.

Claro que la pareja no debe dejar que las discusiones se transformen en rutina. No existe relación capaz de soportar tantas peleas o debates. Una de las incontables virtudes de Ester, y la que más aprecio y aconsejo a las mujeres tener, es la de hablar poco. Disculpe, pero conozco a varias mujeres imposibles de soportar por tanto que abren la boca.

Puede ser una mujer de belleza deslumbrante, pero, si habla de modo desenfrenado e irresponsable, no tiene el mismo valor. La principal belleza no está en su apariencia, pero sí en su modo discreto de ser y expresarse. Yo soy impulsivo, por ejemplo, y Ester es lo opuesto. Ella me calma. Es lo que aprecio en ella. Si hablase mucho, no funcionaría lo nuestro.

Ester tampoco es de las mujeres que reclaman al marido, y eso me agrada mucho. Yo tampoco le exijo nada. Procuro darle plena y completa libertad. Para salir de casa —a no ser en caso de un viaje que deba hacer sola, por supuesto—, no necesita decírmelo, pero ella siempre procura avisarme. Nuestra relación tiene como base la confianza total y sin restricciones y eso jamás puede ser violado por ninguna de las dos partes.

Imagino el terror de vivir con amantes en un matrimonio. ¿Quién puede tener paz o la conciencia tranquila engañando a la persona con quien comparte su vida? ¿Cómo vivir en paz con la esposa si tiene a otra mujer llamándole por teléfono, amenazando o haciendo chantajes? ¡Qué terrible! Disculpe, pero, ¡no soy burro!

El texto bíblico enseña que el efecto de la justicia será paz, reposo y seguridad para siempre (Isaías 32:17). El matrimonio es la base de la sociedad. Y lo que la Iglesia Universal hace es demostrar que sí existen las relaciones felices y duraderas.

Deseamos rescatar valores tan nobles perdidos en nuestros tiempos cuando se trata de la vida juntos. Amor, compañerismo, complicidad, confianza. La relación de una pareja puede ser perfecta. La fidelidad conyugal es una bandera de la Universal porque es lo que enseña la Palabra de Dios. Luchamos para generar maridos de una sola mujer y esposas de un solo hombre, incluso en tiempos de tal banalización de principios como la lealtad, la sinceridad y el carácter.

Ester y yo proyectamos igual nuestro ideal de matrimonio: la unión de nuestras vidas hasta que la muerte nos separe.

¿CÓMO ESCAPAR DE LA TRAICIÓN?

Constituir una familia no es una misión simple, exige dedicación y sacrificios. Ningún ser humano desea ser un solitario. Conquistar un matrimonio feliz y exitoso es el sueño de la mayoría de las personas de bien. En cuanto a la fe cristiana, se trata de la principal inversión que puede ser hecha después de conquistar la salvación eterna del alma. El paso más decisivo del hombre y la mujer de Dios después de la conversión sincera. Observe el consejo claro y directo registrado en la Santa Biblia: «[…] *No está bien que el hombre esté solo; le haré una ayuda a su medida*» (Génesis 2:18).

Ester y yo teníamos ejemplos importantes de matrimonios arruinados en nuestras familias, lo que aumentaba el temor de asumir una relación fracasada. Ella me cuenta que acostumbraba a orar siempre con estas palabras: «Dios, yo quiero que se haga tu voluntad. No acepto que suceda lo mismo que ocurrió en la vida de mi tía. Ella fue traicionada por su esposo y perdió su matrimonio. Yo no quiero que me pase eso. Señor, ¡yo no quiero eso!».

Ester recuerda que oraba con sinceridad repetidas veces centrándose en ese mismo pedido. Deseaba que Dios escogiese al hombre correcto para ella. Luchaba contra sus propios sentimientos que la colocaban frente a otro camino. Ester tuvo novio, pero terminó la relación al ver más de cerca el comportamiento del entonces futuro compañero. Aun si nutriese cualquier sentimiento, ella sabía que, si el compañero no era de Dios, más tarde la unión no funcionaría. Su objetivo siempre fue cumplir la voluntad de Dios.

Pocos comprometidos piensan así en la actualidad. En general, se preocupan por la ceremonia, el ritual en la iglesia, el vestido de novia, los regalos, los detalles acerca de la casa donde van a vivir. A veces, la pareja está tan ilusionada y entusiasmada con los preparativos de la boda que olvida observar más atentamente la conducta del otro.

El corazón está endurecido por las emociones alrededor del gran día del matrimonio. La supuesta pasión coloca a Dios de lado. Ester pedía un hombre fiel que la respetase como mujer e, irónicamente, ella descubrió que en eso falló su entonces novio. Al instante terminó la relación, sin rodeos. La señal que tanto pidió en oración ocurrió. En mi caso, aún de novio, bastó una sola palabra, una simple palabrita dicha por mi antigua novia, gracias al Espíritu Santo, para poner fin a todos mis planes futuros.

Es necesario poner atención en los detalles, en las mínimas situaciones del día a día, para quien pretende casarse y no cometer un error fatal. Ester y yo éramos muy jóvenes, neófitos en nuestras convicciones, ni siquiera estábamos seguros de la diferencia entre sentimiento y fe. Aún no teníamos ese entendimiento, pero había temor y sinceridad en nuestra relación con Dios y eso nos libró de decisiones desastrosas.

La inteligencia asociada a la certeza en el Evangelio es la garantía de elegir el camino correcto. En la mayoría de los casos, infelizmente, la voz de la razón resulta devorada por una maraña de emociones presentes en quien desea casarse. Los novios necesitan querer oír la voz de la fe. ¿Cómo asegurar una unión feliz y duradera, por ejemplo, entre una mujer y un hombre mucho más joven que ella?

Incluso la ciencia explica que el hombre necesita más tiempo para alcanzar la madurez, a diferencia de las mujeres, capaces de transformarse en seres humanos más maduros de forma precoz.

Estoy cansado de ver casos de matrimonios destruidos por ese motivo. Hombres más jóvenes camino a la colisión con mujeres de la misma edad o mayores solo por algunos años. Una joven de 20 años, por ejemplo, tiene la mente de alguien de 25 años. Un joven, de también 20 años, tiene los pensamientos y las actitudes de un adolescente de 15 años. Cuando se casan, la diferencia de edad es mínimo de diez años. Teóricamente poseen la misma edad, pero esa diferencia práctica produce peleas capaces de destruir desde adentro la relación.

Yo soy mayor que Ester por cinco años. Cuando nos casamos, yo tenía 27 años y Ester, 22 años. Aun con esa diferencia, confieso, actué de forma infantil durante mucho tiempo, lo que provocó innumerables discusiones absurdas entre nosotros.

Otro motivo de discordia común es la diferencia cultural. ¿Cómo hacer funcionar un matrimonio donde la esposa se graduó de la universidad y tiene posgrado si el hombre no completó la secundaria? La mujer desarrolló una capacidad incompatible con la de su marido.

¿Cómo una relación puede ser duradera y plenamente feliz si la esposa es una empresaria con ganancias de cuarenta o cincuenta mil reales si su compañero recibe un salario de cinco mil reales? ¿Quién se someterá a quién en esa casa? ¿Usted duda sobre las posibilidades de que esa pareja viva en conflicto?

¿Cuántas mujeres de éxito son infelices en el matrimonio? El ejemplo también sirve para los maridos. ¿Cuántos hombres determinados, llenos de ganas de conquistar y con garra para ser exitosos, están al lado de mujeres apagadas, hasta incluso perezosas o negligentes, repletas de miedo e inseguridad?

No es que la condición social o económica determinen la felicidad conyugal, bajo ninguna circunstancia, pero esas incompatibilidades necesitan ser sopesadas por mera inteligencia. No hay salida: esas diferencias, con seguridad, provocarán peleas y desgastes naturales a lo largo de los años.

Si uno de los cónyuges o los dos aún no tuvieron un encuentro con Dios, difícilmente van a soportarse el uno al otro. Incluso si la pareja tiene un compromiso con Dios, aun así, es casi seguro que esa relación no se sostendrá.

Todos estos aspectos necesitan ser analizados con cautela para que en el futuro las consecuencias no tomen por sorpresa a la pareja. La ley de la vida es clara: sembramos hoy para cosechar mañana. El Espíritu Santo no impone su voluntad sobre el hombre. Él sugiere, orienta e inspira, pero quienes actuamos somos nosotros.

No se progresa con decir: «Tengo el Espíritu Santo, mi novio o novia tiene el Espíritu Santo, entonces vamos a casarnos». Las cosas no son así. Puede ser un *tiro nos própios pés*[6]. La inteligencia necesita sopesar si la decisión, de hecho, es la más correcta. Para ser feliz en el amor, cada uno necesita encontrar su otra mitad lo más compatible posible.

Es fácil de entender: todo en esta vida necesita orden. En el reino de Dios también es así. Todo lo que Dios creó sigue una disciplina rigurosa. El sol, la luna, las estrellas, los planetas, todo gira de acuerdo con un orden, con una ley fijada por Dios. El matrimonio sigue un orden, una ley, también determinada por Dios. Es como una planta: usted siembra la semilla en la tierra, viene la lluvia, el sol y todo coopera para que crezca, se desarrolle y multiplique. El matrimonio es así: es una inversión.

A pesar de ser muy jóvenes, Ester y yo usamos la inteligencia. Uno trató de saber más de la vida del otro y, por encima de todo, procuramos saber la voluntad de Dios. Sobre todo la voluntad de Dios. Yo investigué la historia de Ester para saber quiénes eran sus padres. Eran miembros de la Iglesia, casados y fieles a Dios. Hice una especie de indagación antes de dar el primer paso.

Yo puedo hablar de familia y matrimonio porque nosotros tenemos familia y vivimos en familia. En 2015 cumpliremos 44 años de vida en común. Una unión sólida y salpicada de momentos maravillosos. Tuvimos ciertas dificultades al inicio, claro, no siempre fue un mar de rosas. Nuestro infantilismo, el ajuste de temperamentos, la interferencia de la familia, pero después de madurar nuestra relación fluyó naturalmente.

Yo considero al matrimonio como dos papas. Usted cocina dos papas, después las amasa y agrega leche. La leche es el amor, el Espíritu Santo, el Espíritu del amor. Se convierten

---

[6] Véase la nota número 4. [N. de la T.]

en puré. Ahora, cuando existe eso no puede fallar. Solo podría haber un problema: si se entromete la familia.

Suegra, suegro, hermanos, parientes que empiezan a querer involucrarse, meterse en la relación, generan embrollos. Durante los primeros años de matrimonio, nosotros tuvimos problemas semejantes. Parientes, no solo de mi lado, sino también del lado de ella. Para que ese puré funcione, no debe colocarse otro ingrediente; si no, deja de ser puré.

Nosotros tuvimos dificultades en la relación los primeros cuatro años. Tuvimos que adaptarnos el uno al otro. Con el paso del tiempo comprendí que somos dos cabezas diferentes, aunque tengamos la misma fe en el mismo Dios.

Yo no puedo imponerle a ella mis gustos, pero tampoco quiero que ella me imponga los suyos. Si yo quiero ser respetado, tengo que respetar. Es lo justo. Usted tiene su territorio y yo tengo el mío. No entre en mi territorio y yo no entro en el suyo. Hago eso con cuidado y profundo afecto.

Eso es amor. El amor verdadero no es pasión. Amor es considerar lo justo. Yo respeto la voluntad de Ester, y ella respeta la mía. Así, vamos a vivir bien el resto de nuestras vidas. Esa es la base: respeto mutuo. Una de las cosas que preservo se llama libertad. Ella confía en mí, yo confío en ella, eso es todo.

Piense: ¿qué es la cruz? ¿Cómo se forma una cruz? Tiene una barra vertical, que simboliza la relación del ser humano con Dios. La criatura con el Creador. Esa es la barra principal. Si se ha asumido esa relación, si se ha asumido esa fe racional, con base en la madera de la cruz, formamos los brazos de la cruz. Los brazos de la cruz son el segundo gran mandamiento: amar al prójimo como a sí mismo. Yo tengo que escoger el mismo material de la cruz, el mismo componente que me une a Dios, que se llama fe inteligente, y formar mi matrimonio con la persona que va a formar la cruz. Si hay esa relación espiritual, existe la relación moral respecto a la fidelidad, la lealtad, el compañerismo, la complicidad, la comprensión, el sacrificio mutuo.

Yo me sacrifico por ella y ella se sacrifica por mí. Con esos valores espirituales y morales, nosotros conservamos nuestra cruz intacta. Ese es el secreto para el matrimonio. Cuando subimos al altar juntos, yo no me casé solo con el cuerpo de Ester. Yo me casé con cuerpo, alma y espíritu. Cada parte de mí se casó con cada parte de la trinidad de ella. Cuerpo con cuerpo, alma con alma, espíritu con espíritu. Eso es fundamental para nuestra relación. Ella me hace bien cuando la dejo en libertad y yo le hago bien cuando actúo de la misma manera.

Incluso con esa libertad, vivimos pegados las 24 horas del día, 365 días al año. Y más después de que nuestras hijas se casaron, nos unimos más todo el tiempo. Ni siquiera necesito teléfono celular, porque cuando suena el de Ester usted puede hablar conmigo. Si suena el mío, usted puede hablar con ella. Cuando ella sale, siento su ausencia. Quiero que ella este ahí, cerca de mí. No necesita decir nada ni hacer nada, solo quedarse cerca de mí.

Puedo decir que dependo de ella como dependo de Dios. Solo nos separamos cuando ella va al mercado a hacer las compras, por ejemplo. Como decían mis padres: si quieres conocer a una persona, «críen gallinas juntos». Y nosotros estamos criando gallinas juntos desde hace mucho tiempo, hace exactamente 42 años.

Sueño joven I

Algunas noticias me sorprenden cuando menos lo espero. En septiembre de 2012 publiqué en mi *blog* la celebración del primer casamiento de chinos convertidos en la Iglesia Universal de Angola, en África. Así es. Después de la guerra civil, el país africano necesitaba financiamiento para reconstruirse y ese dinero vino de los chinos. Nuestro trabajo de evangelización en Angola atiende a todo el pueblo, hasta a los asiáticos que residen allá. Ese es el espíritu de la Iglesia Universal.

Situaciones como esa me alegran profundamente. Principalmente al ver jóvenes casándose en la presencia de Dios. Cuando yo era soltero, había en mí un temor enorme respecto al matrimonio. Tanto que me casé a los 27 años. Entendía que, si me casaba mal, colocaría mi fe y mi salvación en riesgo. Dios creó al hombre y a la mujer para que los dos vivan en comunión. Eso me quedaba claro.

Ester también pensaba así. Ella no aceptaba ser utilizada por cualquier hombre y después ser desechada como si no tuviese valor. Siempre preservó dentro de sí el sueño del casamiento ideal, proyecto sepultado por gran parte de las jóvenes en nuestros días.

Desde el comienzo de la civilización, la mujer permitió que la usaran como instrumento de placer y lujuria para el hombre. Infelizmente, las excepciones han sido muy pocas. Si no fuera así, el mundo sería otro. El pecado siempre cegó el entendimiento del hombre y le hizo perder la visión del enorme potencial de la mujer como su ayudante. La mujer no debe ser considerada un objeto. Al contrario, ella forma parte de la vida del hombre. Sin ella, no hay logro masculino completo.

La participación activa de las mujeres en el mercado laboral, conquistando posiciones cada vez más destacadas y en ascenso, con salarios y cargos a la alza, no trajo la felicidad amorosa para la mayoría de ellas. A pesar de tanta inteligencia y capacidad profesional, la minoría ha sido sabia en la construcción de un mundo mejor para sí. Lo que se ha visto es un número creciente de mujeres mal amadas.

Ellas logran conquistar la tan soñada independencia financiera, el éxito en la carrera, la libertad, pero continúan infelices en el amor. Tienen dinero, reconocimiento, posiciones destacadas, todo, pero viven frustradas por romances pasajeros y vacíos. No tienen el amor puro y sincero de un esposo, padre, amante, compañero, amigo, para compartir la alegría del matrimonio todos los días que les restan en este mundo.

Ester cargaba en su interior la obstinación de encontrar a un hombre de Dios para compartir la vida. Muchas de esas enseñanzas las absorbió dentro de su propio hogar, de las palabras siempre edificantes de su madre, como ella misma lo recuerda:

—Mi madre respetaba mucho a mi padre. Diariamente veía eso en casa. Ella me decía que debía respetar del mismo modo a mi futuro esposo. Cuando viese los defectos de él, debía ser comprensiva y ayudarlo a superar tales fallas.

Mujer discreta y de pocas palabras, Ester puede enseñar mucho. Sus memorias son un tesoro preservado en secreto durante décadas y ahora van a convertirse en un libro sorprendente y lleno de revelaciones.

Como secuencia de la trilogía *Nada que perder*, Ester prepara una obra biográfica donde relata todas sus experiencias espirituales, afectivas y de vida con detalles jamás conocidos. Una guía de felicidad para las mujeres en todo el mundo.

En nuestras conversaciones privadas, escucho con atención sus reflexiones acerca de los caminos de una relación matrimonial feliz:

—En la pareja nada es igual. Mi crianza no se parece a la de Edir. Somos diferentes. Mi madre ya me había preparado para eso. Yo me casé consciente de que tendría que hacer sacrificios para aceptar los hábitos, el temperamen-

to, el genio, los gustos de Edir. Hoy en día, muchos matrimonios llegan a su fin justamente porque la mujer y el
marido no están dispuestos a hacer sacrificios en nombre
de la relación. Dios preservó nuestro matrimonio por eso.
Él vio tanto mi sacrificio como el de Edir para construir
una unión feliz y de por vida.

Ester tiene razón. Yo también aprendí a renunciar a
determinados deseos y ciertas formas de ser para intentar transformarme en un mejor marido. Mi crianza fue
diferente. Fui un chico campesino. Nací en el tranquilo
Rio das Flores, en el estado de Río de Janeiro, un pequeño municipio situado entre los ríos Paraíba y Preto, ruta
que usaban los pioneros para llegar a Minas Gerais en el
periodo colonial.

En el siglo XIX, la región recibió a sus primeros coloni-
zadores, quienes crearon haciendas productoras de café.
Después de la abolición, la falta de mano de obra cambió
el rumbo de la economía y el municipio pasó a vivir de la
ganadería. Fue en esa ciudad pastoral, de vidas simples,
donde llegué al mundo el día 18 de febrero de 1945.

Fui el cuarto hijo de Henrique Bezerra y Eugênia de
Macedo Bezerra, doña Geninha, como era conocida ca-
riñosamente. La noche que nací, la ciudad se estremeció
con un estruendo. Un ruido terrible ocasionó pánico entre
los habitantes de Rio das Flores. La caldera de una cooperativa para la producción de leche había explotado. Era
ahí, en esa cooperativa, donde mi padre trabajaba, cerca
de la hacienda de la Forquilha.

El susto hizo que mi madre entrara en trabajo de parto. Parto prematuro. En aquel tiempo difícilmente un bebé prematuro sobrevivía, no había infraestructura ni hospitales ni incubadora. Mi madre ya estaba preparada para lo peor. Sintiendo fuertes dolores, una partera fue llamada a toda prisa —en esa época, una partera era la única ayuda para las mujeres que iban a dar a luz. Una partera especial, mi abuela materna, doña Crementina Macedo.

Nací, pero ni la experiencia de mi abuela pudo disminuir la angustia que se apoderó de todos al momento de mi nacimiento. Yo no lloré como ocurre cuando un bebé nace. El silencio le partía el corazón a mi madre. Parecía que estaba muerto. En la desesperación, mi abuela intentaba reanimarme. La esperanza pendía de un hilo cuando se escuchó un llanto bajito, débil. Señal de que estaba vivo, de que estaba bien.

Mi añorada madre contaba que la paz y la alegría llenaron su corazón, que casi no podía creer que tenía a ese bebé entre sus brazos. A pesar del susto, nací saludable, solo con un pequeño defecto en la mano izquierda, una pequeña atrofia en el dedo índice y en el pulgar. Desde muy pequeño mostré mis ganas de vivir. Parecía que estaba siendo moldeado para una vida de sucesivas y grandes batallas.

Mi madre se embarazó otras 29 veces; algunos fueron abortos y otros bebés prematuros. En total fueron 33 gestaciones, de las que solo siete hijos sobrevivieron. Una guerrera y más.

Nuestra infancia fue modesta. Todos ayudábamos a nuestros padres; los hijos mayores cuidaban a los más pequeños. Eris fue mi hermana mayor y era designada cada cierto tiempo para ayudar a mi madre a cuidar a los más pequeños. Una tarea no siempre fácil. Cuenta que pasó por un momento de pánico. Nuestra familia aún vivía en Rio das Flores, en un lugar lleno de árboles. Uno de ellos, un árbol de lima, estaba plantado cerca de la ventana que daba a mi cuarto. Yo estaba durmiendo en la cuna cuando una cobra comenzó a pasear alrededor de mí, lo cual asustó a Eris:

—El animal ponzoñoso entró sin que nadie se diera cuenta. Cuando miré por la ventana, me asusté mucho. El silbar de la serpiente era aterrador. La cobra estaba a pocos milímetros de la cuna. Rondó, rondó y, haciendo ese zumbido agudo, dejó el cuarto arrastrándose lentamente sin atacar al bebé. Parecía que estaba hipnotizada. ¡Fue una agonía! Dios libró a Edir de una tragedia.

El respeto entre mi padre y mi madre también captaba mi atención desde niño. El valor que daban al matrimonio se notaba en la simple convivencia del día a día. Entré a la adolescencia y a la juventud con esos valores enraizados, aunque aún no había tenido la experiencia más importante de mi vida: mi encuentro con Dios.

Incluso sin conocer el Evangelio, sin comprender a fondo las enseñanzas bíblicas sobre la sagrada unión entre hombre y mujer, yo ya nutría una reverencia por el valor del matrimonio siguiendo el ejemplo de mis padres dentro de casa.

Pero un sueño palpitaba dentro de mí. Imaginaba día y noche a una mujer que completara mi vida. ¿Dónde estaría ella?

SUEÑO JOVEN II

Fui un adolescente con un estilo de vida simple en el centro y en la zona norte de Río de Janeiro durante los años sesenta. Apenas tenía 16 años cuando mi familia se mudó definitivamente a Río, al Morro do Catumbi, en la región central de la ciudad. Allá concluí la secundaria. Vivimos en los barrios de la Tijuca y de la Glória, donde estudié y trabajé durante varios años. Fueron años de dificultades financieras.

El tiempo de entretenimiento era escaso. En las pocas horas libres, me dedicaba al fútbol. Cuando vivía en São Cristóvão frecuentaba el Maracaná los domingos para ver el juego del Botafogo, mi equipo de corazón. Asistí a varios partidos con Garrincha, Gérson, Carlos Alberto, Nilton Santos, Didi. Yo iba con amigos del almacén donde trabajaba. Apoyar al equipo calurosamente, como en los días de juventud, forma parte de mi pasado. Es como saborear un dulce. Es un dulce, es bueno, pero cuando se acaba, se acaba.

Sin embargo, el fútbol no era mi único pasatiempo. Yo era muy coqueto, todo de forma ingenua, como era común en ese entonces, y aún no conocía la Palabra de Dios. Los bailes, los cines y los encuentros en las plazas eran mis paseos preferidos. A los 18 años, mi hermano Celso y yo ya teníamos licencia para conducir. Compramos un *Jeep* azul, modelo 1962, a pagar en treinta mensualidades. En él salíamos a pasear.

El defecto en mis manos nunca fue una barrera para intentar ejercer mi papel de seductor. A pesar de la timidez, procuraba tener palabras envolventes. Cuidadoso con mi apariencia, dueño de una cabellera abundante, lisa y larga, entré a la mayoría de edad con muchas novias. Pero tuve mi primera relación sexual dos años antes, a los 16, en una borrachera con compañeros de la escuela en el barrio de Catumbi. Fue en un burdel enfrente del colegio donde estudiaba en la noche. Nada que me enorgullezca. Fue antes de convertirme al Evangelio.

Algunos años después, la Palabra de Dios me enseñó que preservarse para el día del boda vale la pena. Cambié de opinión al respecto, obviamente. El Espíritu Santo me reveló la importancia de la virginidad, de la pureza, de la inocencia en la iniciación sexual de los jóvenes dentro del matrimonio. Casarse con la inocencia en la relación íntima es motivo de satisfacción, sí, y jamás de sentir vergüenza. Los jóvenes deben luchar por eso, incluso los hombres. Un macho de verdad es el que se mantiene firme e inquebrantable en el propósito de apartarse del tsunami de inmoralidad de este mundo.

Yo aplaudo a los jóvenes que se preservan y vencen sus propios deseos a fin de mantenerse cerca de Dios. Por eso, me empeño en apoyar y acompañar personalmente el trabajo de asistencia espiritual a la juventud de la Iglesia Universal en todo el planeta.

Nuestra «Fuerza Joven» es un granero de hombres y mujeres de Dios en todos los países donde actúa. Contribuye para afirmar muchachos y muchachas en los pasos del Evangelio, sin dejarse seducir por el colorido y la fascinación del mundo actual. Una de las misiones de ese grupo es concientizar a nuestros jóvenes sobre el valor del matrimonio hoy día y estimular en cada uno de ellos el deseo de luchar por una unión conyugal feliz y estable.

Entiendo que el secreto para ese trabajo es sumergirse en la mente del joven, hablar de igual a igual, provocando un cambio radical en sus conceptos y valores. Casi todos ellos llegan a la Iglesia vacunados contra la fe cristiana. Para ellos, la Iglesia evangélica es sinónimo de infinitas reglas, prohibiciones y de una vida completamente anticuada. Yo mismo fui así.

Tenía un humor ácido para criticar a los creyentes cuando vivía en Río de Janeiro. Me divertía con esa clase de ironía. Poco a poco, nace naturalmente el interés en conocer al Señor Jesús solo por el simple hecho de entender que la fe produce libertad en un nuevo sentido para la vida, algo tan profundo y verdadero capaz de abrir horizontes hasta entonces desconocidos. Es el nuevo nacimiento.

Usted ya debe haber visto u oído hablar del fervoroso trabajo de recuperación social adoptado por esos jóvenes. Es común encontrar integrantes uniformados con la camiseta «Fuerza Joven Universal» en comunidades necesitadas, ofreciendo ayuda a otros jóvenes rehenes de la criminalidad y de las drogas.

Nunca me involucré en vicios, fumé cigarro solo tres veces en mi vida, no sé qué es mariguana, cocaína o *crack*, nunca tuve nada de eso enfrente, pero imagino el drama devastador que eso representa en una familia. Hoy la «Fuerza Joven» reúne millones de adolescentes, jóvenes y adultos ya recuperados por el poder de la fe. ¿Cuál es el precio de ello? ¿Cuánto vale eso para nuestras autoridades y gobernadores?

Por ese motivo, procuro estar siempre atento a la fuerza de la juventud. El potencial y el vigor de ellos también son imprescindibles para proseguir con el trabajo evangélico hecho por nuestros pastores en el mundo entero, con la finalidad de rescatar hombres y mujeres del cautiverio de perdición y dolor impuesto por el mal.

Durante los primeros años tras la fundación de la Universal, hice ese trabajo en persona. Pasé horas hablando con los más jóvenes en busca de nuevos predicadores de la Palabra de Dios y, sobre todo, por el cuidado del alma de cada uno de ellos. Fueron innumerables casos. Uno de ellos, el actual vicepresidente ejecutivo de la Rede Record, Marcus Vinicius Vieira, hijo del exdiputado federal Laprovita Vieira, personaje central en la época de la compra de la emisora, recuerda esos momentos hasta hoy:

—El obispo Macedo me llamaba para platicar y, de forma directa y simple, me explicaba mucho sobre la importancia de la vida espiritual para un hombre. Yo apenas era un niño comenzando a vivir, sin experiencia, sin rumbo. La manera en que me hablaba me hacía sentir libre para hacer preguntas y querer saber más sobre la fe, lo que me ayudó a caminar con Dios. El obispo nunca impuso nada. Ni siquiera me preguntaba si iría o había dejado de ir a la iglesia. Él apenas hablaba de la fe y de lo que podemos conquistar cuando tenemos a Dios en el corazón.

Siempre fue así la formación de discípulos desde el principio en la Universal. Como yo, casi todos los pastores y obispos fueron reclutados aún jóvenes para la misión de ayudar al prójimo. Y renunciaron a los años de juventud por una muy noble causa: salvar almas del infierno.

Cuando recibimos a los jóvenes en la Iglesia, pronto notamos lo que piensan y lo que desean para sí. Llegan con una visión clara, por ejemplo, de que el matrimonio es sinónimo de fracaso. La mentalidad de las nuevas generaciones sobre la vida en pareja es que el matrimonio no es más que una institución fallida en su totalidad y caduca. La mayoría no logra ver la riqueza de los significados de un matrimonio. Los jóvenes están perdidos en aventuras y desventuras amorosas. Muchos se encuentran caídos, vacíos, postrados y se están entregando a las oleadas de moda.

Los jóvenes de hoy ya no piensan en el matrimonio como una gran inversión, como yo siempre lo vi desde mi adolescencia. Por supuesto que esa unión conyugal necesita hacerse de acuerdo con la voluntad de Dios para funcionar y rendir frutos bendecidos; de lo contrario, lo que ya es malo puede convertirse en algo peor.

En esto pensaba en mis primeros años de Iglesia: conquistar a una mujer de Dios para ayudarme en la predicación del Evangelio por todo el mundo. Mi mayor sueño de predicar la Palabra de Dios como pastor solamente estaría completo si tuviese a mi lado a una mujer enviada por el Espíritu Santo. Yo trabajaba mucho en esa época, pero nunca perdía de vista ese objetivo.

A los 25 años, aún soltero, tenía dos empleos: uno en la Loteria do Estado do Rio [Lotería del Estado de Río], la Loterj, y el otro en el Instituto Brasileiro de Geografia e Estatística [Instituto Brasileño de Geografía y Estadística], el IBGE. Ahí trabajé como encuestador en el censo económico de 1970. Fue un tiempo difícil, en el que incluso di clases particulares para aumentar mis ingresos.

Trabajaba desde las siete de la mañana hasta el mediodía en el IBGE. Comía de envases plásticos. A las 13 horas entraba a la Lotería y trabajaba ahí toda la tarde. Después daba clases de matemáticas y, finalmente, a las siete de la noche comenzaba la Escola de Estatística [Escuela de Estadística]. Llegaba a casa alrededor de la medianoche. Era una rutina muy severa.

En ese periodo, el encuentro personal con el Señor Jesús ya estaba madurando en mi intelecto las primeras señales de una nueva forma de ver la vida. Mi manera de pensar y actuar se había modificado poco a poco. Fui creciendo en el ejercicio de la fe, aprendiendo un paso a la vez. En ese trayecto, luchando por una decisión en mi vida amorosa, sufrí con la soledad de soltero y con algunos intentos de encontrar a mi querida mitad.

Yo era novio de una muchacha que me gustaba mucho, pero que no aceptó los cambios que empezaron a ocurrir en mí después de mi conversión. Ella consideraba anticuada a la Iglesia y veía los compromisos de cristiano como un desperdicio para los jóvenes de nuestra edad. Su ideal de vida era aprovechar los placeres del mundo, ser libre para disfrutar sus sueños del modo y con la intensidad que imaginaba.

Nuestra relación de dos años terminó por iniciativa de ella. Yo estaba muy apasionado. Vivíamos sin reglas antes de mi conversión, como si estuviésemos casados, y eso la hizo aburrirse de nuestra relación amorosa. Yo también tuve mis dudas. Deseaba que ella me acompañara a la iglesia, pero eso nunca ocurrió.

Yo estaba tan apasionado que llegué al punto de orar a Dios con cierta falta de respeto e infantilismo:

—Dios, si tú amas a Jesús, haz que ella regrese.

Pedí en vano. Concluí que las pasiones de mi corazón

me engañaron cuando dejé de tomar actitudes a la luz de la fe inteligente.

Fue a causa de esas emociones incorrectas que yo no me apegaba a Dios. Estuve deprimido, inconsolable, sufrí mucho y me apegué más a la fe. Impulsado por la decepción y por la amargura del abandono, reuní las condiciones para tener un encuentro con mi Dios.

Durante mi juventud en busca de un matrimonio exitoso, también sufrí con las burlas de quien no comprende qué significa vivir por la certeza en las promesas de Dios. Mi cambio de comportamiento fue notado por todos a mi alrededor y generó situaciones desagradables. En el trabajo en la Loterj, al mencionar que me había convertido en un cristiano de verdad, era habitualmente blanco de bromas y provocaciones. Los colegas del departamento, por ejemplo, intentaban incitarme mostrándome fotos de revistas masculinas.

Cierto día, una funcionaria abrió de par en par, sobre mi mesa, el póster de una mujer desnuda.

—¡Mira, Edir! Si de verdad eres hombre, solo dale una miradita. ¿No eres hombre, Edir? —decía, en medio de las carcajadas de todos.

Pasada la situación, me encerraba en el baño para orar. Lloré mucho en el baño de la Loterj.

En mis oraciones a Dios repetía el mismo pedido: necesitaba encontrar a mi ayudante, la mujer que el Espíritu Santo había preparado para completarme. Comprendía claramente que para encontrar la felicidad necesitaba dar prioridad a dos aspectos: primero la fe y, en segundo lugar, el matrimonio.

Las propias enseñanzas bíblicas son claras sobre esa directriz. La fe está relacionada con el primer mandamiento de la ley de Dios: «[…] *Amarás al Señor tu Dios con todo tu corazón, con toda tu alma, con todas tus fuerzas y con toda tu mente* […]» (Lucas 10:27). Y el matrimonio está relacionado con el segundo mandamiento de la ley de Dios: «[…] *y a tu prójimo como a ti mismo*» (Lucas 10:27). La fe es la parte principal de la cruz: la barra vertical de la relación con Dios; y el matrimonio es la segunda parte de la cruz, la barra horizontal que está asociada a la relación con la persona amada.

El matrimonio, por tanto, es algo sublime y de suprema importancia. Si el matrimonio no estuviera bien cimentado, de acuerdo con la Palabra de Dios, la pareja puede incluso perder la salvación de su alma. Yo siempre estuve seguro de eso. Una relación necesita estar basada en la fe sobrenatural, no en el sentimiento. Porque el sentimiento engaña, tiene que existir la certeza en el cuerpo, en el alma y en el espíritu. Si usted sustenta una relación basándola en el espíritu, que es la fe sobrenatural, habrá amor y, como consecuencia, un engranaje perfecto entre la pareja.

El mundo está lleno de hombres y mujeres infelices en el aspecto afectivo, a pesar de que muchos tienen el mundo a sus pies, porque fundamentaron sus relaciones solo en el sentimiento. Ellos no se entienden, fueron hechos el uno para el otro, pero no consiguen complementarse.

No hay la más mínima posibilidad de felicidad sin la perfecta armonía entre marido y mujer, la cabeza y el cuerpo. Cada uno tiene un papel bien definido. La cabeza, el hombre, no puede dar ni un paso sin el cuerpo, la mujer. El cuerpo, a su vez, no tiene vida sin la cabeza.

Dios es magnífico en su Creación. Él hizo al hombre y a la mujer para vivir en comunión y en perfecta armonía. Obligatoriamente, uno depende del otro. No hay otra forma. Si hay desorden en esa relación, la consecuencia inevitable es la infelicidad. La mujer no recibió la autoridad del hombre para liderar el hogar ni el hombre recibió la capacidad de la mujer para edificar la casa. Cada uno tiene su papel importante en la construcción de un matrimonio perfecto y feliz.

Otro punto importante que he notado a lo largo de mi trayectoria es que muchos se desaniman en la fe cuando se juntan con personas que no poseen las mismas convicciones espirituales. Ya atendí como pastor varias situaciones de recién casados en fuertes crisis conyugales después de compartir su día a día. Es decir, cuando termina la luna de miel, también termina el convivio pacífico y armonioso, porque es justo en ese momento cuando los valores espirituales se ponen en evidencia.

Si uno tiene el Espíritu de Dios y el otro no lo tiene, los problemas serán inevitables. Si uno es agua y el otro es aceite, si uno anda en las tinieblas y el otro anda en la Luz, surge la confusión. Sin compatibilidad y unión de fe, se vuelve difícil mantener esa relación. Si uno quiere ir a la iglesia y el otro no, habrá división, separación. Una casa dividida no subsiste.

Para que un matrimonio funcione, es necesario que los dos tengan el mismo objetivo en la vida. Si Ester tuviese una fe distinta de la mía, nuestra convivencia sería imposible. Imagine cuando me retirase para la oración, ¿ella quedaría excluida? Sin duda, habrá división dentro de casa. Existiendo la misma fe, hay respeto mutuo y afinidad de pensamientos.

Ester y yo siempre oramos juntos desde hace más de cuarenta años, unidos en los mismos objetivos y propósitos. Muchas situaciones excepcionales ya acontecieron por medio de la fuerza de la unión de nuestras oraciones. El Cielo se abre para una pareja en oración.

EL PESO DE LA CAMA

No es posible hablar de matrimonio sin hablar de sexo. Comprendí eso desde mis primeros pasos en el camino de la fe. La Biblia lo enseña claramente. El sexo es una dádiva y es el pilar del matrimonio.

La experiencia también me mostró que una vida sexual feliz se inicia antes de la cama. El diálogo en los momentos más simples de la vida ayuda a mantener la relación feliz y llena de fuego. La convivencia resulta una pieza esencial del bienestar de una relación. Hoy pagamos un alto precio con tanta tecnología disponible. La pérdida del contacto más cercano, persona a persona, en las relaciones es el primer síntoma de la vida moderna.

Lo que el uso desequilibrado del televisor y de la computadora, por ejemplo, hacen con el arte de conversar es un mal tremendo para la vida en pareja. Dichas herramientas estereotipan la comunicación y congelan las relaciones, de la misma forma en que los restaurantes de comida rápida o platillos congelados devastaron la santidad de las comidas familiares. Ya no vivimos la esencia de las cosas. Ya no vivimos con intensidad el intercambio de afecto, el cariño de sostener las manos de la compañera o un afectuoso y puro beso de buenos días o buenas noches.

Ester y yo hacemos uso de las redes sociales y del internet como herramienta de comunicación eficiente e instrumento de evangelización, por supuesto, pero no permitimos que eso devore nuestra intimidad. Buscamos preservar los hábitos más ingenuos y puros de la relación de una pareja, como un elogio o un apasionado intercambio de miradas.

En la cama, el sexo es para tener placer. Dios creó este tipo de placer para el ser humano, una cosa simple, limpia y que lleva al hombre y a la mujer a las nubes a partir del momento en que la pareja se entrega y se conoce. Él nos hizo con todas las condiciones para tener una relación sexual saludable. Dios no le mostró una revista pornográfica a Adán y a Eva ni les enseñó una *sex shop*; nada de eso: Dios los creó y les dio espacio para que se descubrieran.

La cama es la base de una alianza en el altar. No son los hijos, el dinero o el cariño. Si uno no le da al otro lo que necesita, no es conveniente. Es una necesidad humana, es como comer y beber. El marido debe ser totalmente amante de su esposa y viceversa. El sexo no fue creado por el diablo, sino por Dios. Es el momento para aliviar tensiones. Cuando tengo sexo, mantengo mi vida espiritual más fuerte.

El momento exacto en el que camino en dirección al altar para sellar mi matrimonio con Ester, hace 42 años: la sonrisa no desaparecía de mi rostro.

La ceremonia y la fiesta de mi boda fueron momentos inolvidables para mí. Nuestra unión, firmada en diciembre de 1971, se hizo más estrecha en las fases de dificultad y de alegría. Mi amor por Ester se fortaleció con el paso del tiempo.

Con las niñas, Cristiane y Viviane, en la ruta para subir el Monte Sinaí, en Egipto. Nuestra familia —un bien sagrado que colocamos ante Dios— captada en momentos privados.

No hay suficientes palabras para agradecer la atención y el cuidado que mis yernos tienen hacia mis hijas. Las dos son parte de mí.

Cuando la familia está reunida, aprovechamos al máximo cada minuto. Recordamos el pasado, damos buenas carcajadas y reconocemos lo que Dios ha hecho en nuestras vidas.

El casamiento de Cristiane y
Renato marcó mi vida. Antes de
entregar a mi hija mayor, le di un
fuerte abrazo, no quería soltarla.
Las lágrimas fueron inevitables.

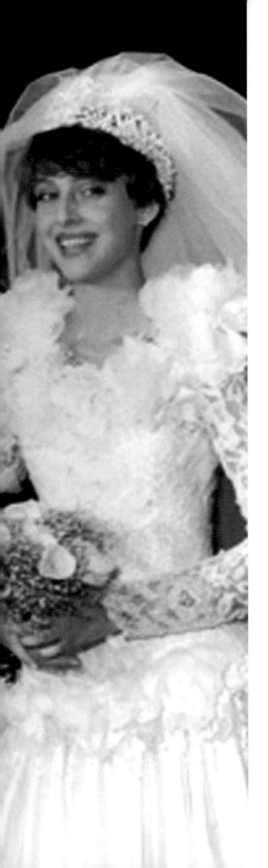

Otro momento emotivo fue
oficiar la boda de Viviane y Júlio.
En la hora de la oración, lloré y
dije: «Mi Dios, cuando ella pase
por momentos difíciles, recuerda
esta oración».

Cuando por primera vez vi a Ester, tuve la absoluta certeza de que me casaría con ella. En ocho meses nos enamoramos, fuimos novios y nos casamos. Y no nos despegamos por motivo alguno desde hace más de cuatro décadas.

El matrimonio es la base de la sociedad. Y lo que la Iglesia Universal hace es empeñarse en demostrar que la relación feliz y duradera sí existe.

Ester, mi primer amor, una alianza perfecta. Desde el día de la boda en adelante somos uno solo.

El sexo nos fortalece, nos une, nos renueva. El cuerpo del marido le pertenece a la esposa y el cuerpo de la mujer pertenece al hombre. El apóstol Pablo dice en 1 Corintios 7:5: «*No se nieguen el uno al otro, a no ser por algún tiempo de mutuo consentimiento, para dedicarse a la oración. Pero vuelvan luego a juntarse, no sea que Satanás los tiente por no poder dominarse*».

Se pertenecen el uno al otro; por tanto, la esposa jamás debe negarse a su marido, o viceversa, para no correr el riesgo de contrariar la Palabra de Dios. Así como no debemos privar a nuestra esposa o marido, nosotros también debemos honrar nuestras responsabilidades. ¿Y qué se puede y qué no se puede hacer entre cuatro paredes? ¿Cuáles son los límites de una pareja? La Biblia dice que, para los casados, el acto sexual solo es abominable cuando es contrario a la naturaleza.

Existe un valioso termómetro llamado conciencia. Cuando suena la alarma de la conciencia o da señales de que algo no está bien, de hecho, algo no está bien. La Biblia no presenta ningún manual de conducta durante el acto sexual, ningún autor sagrado escribió cómo y qué hacer. ¿Por qué? Yo creo que el Espíritu Santo da libertad a cada hombre y a cada mujer para encontrar el camino de su felicidad. Cuando el Espíritu Santo viene, Él nos da libertad y nuestra conciencia sintonizada con Dios nos hace libres para tener un acto conyugal libre.

La buena conciencia debe ser el juez en la pareja para que el placer sea completo y sin retoques. Para el cristiano, todo es perfectamente justo mientras no agreda a su conciencia. Yo necesito separar lo bueno de lo malo. Quien juzga eso es cada individuo. No es el pastor, la Iglesia, nadie. Solo la persona.

El sexo es tan importante dentro de una relación conyugal que ya seguí de cerca, a lo largo de mi trayectoria como predicador del Evangelio, incontables casos de parejas teóricamente perfectas, prácticamente nacidos el uno para el otro, pero que viven infelices y frustrados debido a la falta de sintonía en la cama.

La intimidad entre marido y mujer, como todo en la vida, sigue un orden con principio, medio y fin. El acto conyugal exige preparación. Normalmente, el hombre ya está listo una o dos horas antes, mientras la mujer tarda más, debido a la naturaleza. Las mujeres necesitan ser estimuladas, lo explica la propia medicina. Las caricias y los besos, como estímulos para el acto sexual, no representan ningún pecado. Esa es la frustración de muchas mujeres. Cuando llega su momento de disfrutar, muchas se quedan insatisfechas, lo que provoca una inevitable infelicidad y hasta una sensación de falta de amor.

El acto conyugal debe cumplir el papel de unir más uno a otro, por eso es extremadamente sagrado. Estoy a favor de la relación sexual solo dentro del sagrado matrimonio. No apoyamos el sexo antes del matrimonio, siguiendo las enseñanzas de la Biblia. Del mismo modo condenamos el adulterio, la homosexualidad y todo tipo de relación sexual ilícita. En la relación conyugal, el acto íntimo es santo.

Como siempre lo recalco durante mis cultos, yo no condeno a quien es homosexual. Nosotros no condenamos absolutamente nada ni a nadie. Yo creo en la Biblia y ella está en contra de la homosexualidad. Así de simple. Estoy en contra de la relación homosexual y no de los homosexuales. Respeto al ser humano.

Yo predico la Palabra de Dios, pero cada uno decide el camino a seguir. Respeto el derecho a elegir, incluso si la persona desea relacionarse con una o varias personas del mismo sexo. Le enseño eso a los pastores de la Universal para que lo prediquen al pueblo. Dios nos dio libre albedrío. Él dejó el camino del bien y el camino del mal. Cada uno debe decidir por sí mismo. Quien sigue el camino del bien no debe criticar a quien sigue el camino del mal y viceversa. Yo no soy nadie para criticar a los homosexuales. Al apuntar un dedo hacia alguien, tengo cuatro dedos apuntados hacia mí, pero tengo derecho a defender mi opinión en nombre de la preservación de la fe que vivo.

Quien quiera ser salvo, quien quiera andar con Dios tiene que andar en la justicia. Yo digo lo que está escrito en la Biblia. Cabe a cada uno escoger, tomar su decisión. Si usted quiere el Reino de Dios, entonces le corresponde a usted dejar lo que es corrupto e injusto. Si usted no cree en el Reino de Dios y cree que así debe vivir la vida, entonces está bien. Es su problema. Yo no voy a intentar convencerlo de tener un carácter cristiano.

El matrimonio es fundamental en la relación humana. Simboliza la alianza eterna con Dios. Yo aprecio mi relación conyugal. Ester y yo estamos casados desde hace más de cuatro décadas y no nos aburrimos uno del otro. No necesitamos novedades, tenemos mucho placer entre nosotros. No vivimos la monotonía. Al contrario, somos iguales a cierto tipo de vinos: mientras más viejo, mejor.

PASTOR, NO CRIMINAL

En las casas donde vivimos, en las oficinas y en los apartamentos de las iglesias, los mismos objetos de decoración embellecen los ambientes: portarretratos y cuadros con fotos y más fotos del álbum particular de nuestra familia. Este dulce y puro hábito de Ester representa una pequeña prueba del valor que damos a un bien sagrado ante Dios: la familia.

Es imposible ser feliz solitario. Eso es un hecho, como ya lo resalté antes. Comenzar una familia tampoco resulta fácil. Pero es necesario recordar que la familia fue la primera institución creada por Dios. Él no creó primero las leyes y los mandamientos para después crear al ser humano. Antes, Dios creó la familia. El primer hombre tenía plena conciencia de lo que representaba ese acto para su vida: «*Entonces Adán dijo: "Esta es ahora carne de mi carne y hueso de mis huesos* [...]. *Por eso el hombre dejará a su padre y a su madre, y se unirá a su mujer, y serán un solo ser"»* (Génesis 2:23 y 24).

Solo con esa conciencia del valor de la familia, el hombre y la mujer podrán generar un reino en la Tierra. Como símbolo de la Trinidad Divina —Dios-Padre, Dios-Hijo y Dios-Espíritu Santo—, la familia está compuesta también de una trinidad: el hombre, la mujer y el espíritu de amor que los une.

Desde los tiempos del nacimiento de la Universal, en el viejo y sucio quiosco, hasta los días actuales, las mismas preguntas me persiguen en estas décadas en que me dedico a llevar a las personas a un cambio de vida por medio del Evangelio: al final, ¿cuál es el secreto para tener una familia unida y feliz? ¿Qué hago para acertar en la educación de mis hijos? ¿Cuál es la fórmula eficaz para garantizar un futuro lleno de paz y éxitos para mis hijos? ¿Cuál es la mejor herencia que puedo dejar a mi descendencia?

Las respuestas apuntan a una palabra simple: ejemplo. La mejor educación es dar el ejemplo. Es actuar como Dios: al llegar a cierta mayoría de edad, cuando los problemas de comportamiento comienzan a surgir, si es que surgen, el secreto es dejar a los hijos absolutamente libres. Dejarlos escoger lo que quieran, el camino que deseen seguir. Los padres tienen la obligación de enseñar, pero no pueden obligar a los hijos a seguir el camino del bien.

Cuando están delante de grandes dificultades y quieren ayuda, entonces sí es posible ayudarlos. ¿Es difícil? Sí, terriblemente doloroso. Pero no hay otro camino. Los padres no pueden imponer su voluntad a sus hijos. Mientras más el padre o la madre intentan imponer su voluntad, empeora. En la Iglesia Universal enseñamos que los hijos necesitan ver en la actitud de los padres al Dios en quien creemos.

Ester y yo adoptamos eso en nuestra casa. Por supuesto, pusimos en práctica la Palabra de Dios respecto a nuestros hijos, durante su infancia, exactamente como orientan las palabras de Salomón: «*Enseña al niño a seguir fielmente su camino, y aunque llegue a anciano no se apartará de él*» (Proverbios 22:6).

Funcionó. Nuestros hijos no crecieron rebeldes. Cristiane y Viviane, por ejemplo, por voluntad propia, optaron por seguir el mismo camino de sus padres: dedicar la vida a la predicación del Evangelio. Eso alegra mi corazón porque Ester y yo no criamos a nuestros hijos para ser profesionales triunfadores o empresarios de éxito. Enseñamos en casa el significado majestuoso de renunciar a la propia vida en favor de quien sufre lejos de Dios. No invertimos en los estudios de ellas como una meta prioritaria. Muchos padres envían a sus hijos fuera del país para graduarse; eso no está mal, pero tomamos nuestra decisión.

Ellas mismas, al ver el ejemplo de entrega de sus padres, optaron también por sacrificar sus vidas en el altar. Aún durante su adolescencia, recuerdo que siempre le preguntaba a Cristiane:

—Hija, ¿qué quieres ser cuando crezcas? ¿En qué universidad y en qué carrera quieres graduarte?

Como Cristiane, Viviane también era tajante en las respuestas:

—No queremos. Deseamos ser esposas de pastores y consumir nuestra juventud y nuestro futuro por la causa a la que te entregaste.

—Amén —yo respondía, breve, con el aval discreto de Ester.

Lo que teóricamente podría parecer una locura, no estimular a los propios hijos sobre conquistar una formación académica, era para mí un acto de confianza. Renunciar a una probable seguridad para el resto de la vida era la más evidente señal de que creíamos que Dios sustentaría a nuestras hijas. Hoy, las dos son esposas de obispos exitosos en sus funciones en la Universal. Dondequiera que estén, viven bien y en paz. Gracias a Dios.

A lo que las dos nunca renunciaron fue al sueño de construir un matrimonio feliz. Y eso también aconteció. Aunque tuviesen toda la capacidad intelectual, la formación universitaria más avanzada del medio académico, si no tuviesen buenos maridos, serían completamente infelices. Hoy las dos se realizaron en el amor porque encontraron a su otra mitad, hombres de Dios, justo como ocurrió con Ester y conmigo. Considero eso uno de los mayores premios concedidos por Dios en toda la historia de mi vida.

El ejemplo de conducta de los padres, por tanto, es decisivo para el futuro de los hijos. Yo recuerdo pequeñas actitudes de Ester que fueron decisivas en la formación del carácter de nuestras hijas. Recuerdo que las dos escuchaban atentamente hablar a su madre sobre mi falta de tiempo para estar en casa, debido a las obvias dificultades del inicio de la Iglesia.

—Yo jamás me quejaba de Edir frente a ellas. Nunca decía: «¡Ah!, su padre nunca está en casa. Él no tiene tiempo para nosotras. A él no le interesa su familia etc., etc., etc.». Nunca hice eso. Sería devastador para las niñas y para nuestro hogar —afirma Ester.

La sabiduría de la esposa es fundamental para mantener de pie una casa y bien cimentada. Ester nunca me exigió nada. Al contrario, yo solo oía palabras de apoyo e incentivo.

—Cuando oía alguna reclamación de nuestros hijos, yo elogiaba la postura de Edir. Les decía: «Ustedes no deben enojarse. Él está dedicando su vida a ayudar a las personas. Él podría estar en un bar embriagándose o, peor, podría estar haciendo cosas malas, ser un ladrón, haciendo atrocidades. ¡Pero no! Él está gastando su juventud para Dios» —cuenta Ester.

Yo también procuraba ser un buen ejemplo en otras cosas, además del sacrificio de mi vida por las almas perdidas en este mundo. Todos los fines de año, enseñaba a mis hijos a escoger y donar personalmente sus juguetes y ropa a los niños menos favorecidos de las comunidades necesitadas cercanas a nuestras iglesias.

Un gesto simple con una lección muy valiosa: donar. Hoy, Cristiane y Viviane aprendieron a no apegarse a ningún bien material ni a lugar alguno. Pasaron los últimos años siendo trasladadas todo el tiempo a un nuevo trabajo evangelizador, cada hora en un punto diferente del planeta, *sem eira nem beira*[7].

---

[7] Una traducción sería: «sin un centavo y sin orilla». Este dicho popular se utiliza para referirse a una persona que no tiene nada. [N. de la T.]

Los ejemplos de vida son para siempre.

Cuando Dios creó al hombre y a la mujer, no los hizo solo para que hubiese un matrimonio o un par, sino, además de eso, un padre y una madre. Ambos con funciones diferentes dentro de una familia.

Pienso en mi matrimonio. Siempre procuré transmitir seguridad, protección, respeto, fuerza y razón para mi familia. Ester, por su parte, transmitía cariño, educación, cuidado, atención y amistad en el trato diario con las niñas.

Uno no podía hacer el trabajo del otro, aunque quisiese, pues esas habilidades vinieron con las diferencias en el papel del hombre y de la mujer. Cuando eso sucede, la profecía se cumple: «*¡Dichosos todos los que honran al Señor! ¡Dichosos los que van por sus caminos! ¡Dichoso serás, y te irá bien cuando te alimentes del fruto de tu trabajo!*». Y no termina ahí. Las palabras del salmista van más allá: «*En la intimidad de tu casa, tu esposa será como una vid con muchas uvas; alrededor de tu mesa tus hijos serán como retoños de olivo. Así bendice el Señor a todo aquel que le honra*» (Salmos 128:1-4).

LAS MUCHACHAS EN EL ALTAR

Mi matrimonio con Ester fue referente para mis hijas. Cristiane y Viviane siempre dijeron que querían encontrar a alguien como su padre, que querían un matrimonio feliz como el nuestro, como está escrito en el capítulo anterior. Cuando cumplió 15 años, Cristiane no quiso fiesta. Prefirió guardar el dinero para su ceremonia de casamiento, aunque ni siquiera conocía a su marido. Todo por la fe.

Hasta que un día, cuando aún vivíamos en Estados Unidos, Ester vino a Brasil a participar en una reunión de pastores. En ese encuentro conoció a un joven paulista llamado Renato Cardoso y le dijo a Cristiane que él parecía un muchacho interesante y que tenía el perfil de hombre de Dios.

Nosotros sabíamos que nuestra hija estaba determinada a volver a Brasil con el objetivo de casarse. En esa época, sin embargo, Renato era novio de una joven ocho años mayor que él. Él iba a cumplir 18 años. Ya era pastor y estaba en uno de nuestros templos.

—Yo nunca me había enamorado. Era algo que había determinado toda mi adolescencia, ya lo decía. Fui a un paseo para conocer de cerca al muchacho que mi madre había sugerido. Lo vi y me gustó. Comencé a orar para que se cumpliera la voluntad de Dios. Si de verdad era de Dios, surgiría otro joven para la novia de él —recuerda Cristiane, quien afirma haber aguardado la respuesta pacientemente, en silencio, sin querer actuar por sus propios medios.

—Solo fui a conocer a Renato meses después. Yo quería casarme con mi primer novio. Yo había colocado eso en mi interior y tenía fe para lograrlo. Deseaba casarme con mi primer novio, pero, por supuesto, no quería que fuese mi primer mal novio y, en consecuencia, un mal esposo. Entonces, cuando Renato me empezó a gustar, fueron meses pidiendo a Dios que me mostrara de verdad qué quería Él para mi vida —cuenta Cristiane, casada hace 23 años y fundadora del «Matrimonio Blindado», proyecto destinado a orientar a casados y solteros en el ámbito afectivo.

—Llegué al punto de decir: «Mira, si de verdad es él, tendrá que venir él mismo y yo no voy a dar ninguna señal de que me gusta, incluso voy a ignorarlo». Renato pasaba cerca de mí y yo giraba la cabeza. Si de verdad era de Dios, Dios tendría que hacer un milagro, porque normalmente para que un chico se aproxime a una chica, él debe recibir una señal de que a ella le gusta. Yo hacía lo opuesto. Y sucedió —destaca Cristiane.

Yo sabía qué estaba pasando porque Ester siempre me contó todo. Renato terminó su noviazgo tiempo después. Estábamos en una reunión de pastores y uno de ellos era novio de una joven tres años mayor que él y, claro, hubo problemas. Eso no funciona. La mujer madura más rápido que el hombre. Esa diferencia de edad nunca trae nada bueno.

Y en esa reunión pregunté si había alguien en la misma situación, un pastor joven siendo novio de una mujer más grande. Renato estaba en la misma situación. Como hago con todos los pastores de la Iglesia Universal, dije:

—Muchacho, si quieres continuar con tu noviazgo, no hay problema, pero no te lo aconsejo. Eso puede perjudicarte tarde o temprano.

Claro que él usó la inteligencia y la fe y optó por deshacer el noviazgo. Después de eso, empezó a enamorar a Cristiane. Un noviazgo que duró entre cinco y seis meses. Yo quería que ellos se casaran pronto.

Nadie mejor para hablar sobre su relación que la propia Cristiane:

Yo quería un hombre como mi padre: serio y trabajador. Además de ser apuesto, claro. Renato no era de esos muchachitos que tenían noviazgos fugaces. Él era espiritual, como mi padre. Y dijo en aquella reunión que quería deshacer su noviazgo. Esa misma semana que terminó su relación, hubo una velada y él no quitaba sus ojos de mí. Un mes después, me mandó una cartita que hablaba de amor. Nosotros no nos veíamos mucho y mi madre hacía el papel de intermediaria.

Ella pidió información sobre Renato al obispo responsable de él en ese entonces y dispuso un encuentro para que nos conociéramos. Yo fui al Brás, en São Paulo, después de la escuela. Estábamos viviendo en Brasil a causa de la compra de la Record. El obispo nos llevó a una cafetería; ahí conversamos por primera vez...

Aquel día nosotros solo nos conocimos, nada de noviazgo. Y mi padre lo supo por medio de mi madre. Después yo le dije:

—Padre, conocí a Renato quien es auxiliar de pastor...

Él respondió:

—Él primero tiene que venir a hablar conmigo. ¡No puede enamorarte así!

Renato aún no quería hablar con mi padre, finalmente no habíamos hablado sobre noviazgo. Mi padre decía que yo no podía hablar con Renato sin la autorización de él. Yo le explicaba que aún no hablábamos de noviazgo. Me repetía lo mismo y yo le decía lo mismo.

Un día, Renato fue a verme nuevamente en el Brás. Yo estaba aprendiendo piano con un profesor. Cuando lo vi, no lo dejé hablar.

—¡Necesitas hablar con mi padre!

No tuvo salida. Acordaron el día y fue la mayor vergüenza. Mi padre quiso hablar con él enfrente de los demás pastores y obispos.

Mi padre autorizó el noviazgo un jueves. El siguiente sábado, él vino a casa e iniciamos nuestro noviazgo. Todo el tiempo había alguien con nosotros. Nos sentábamos a ver televisión con Moyses, mi hermano más pequeño. Yo tenía 16 años y él 18. Pero nuestro primer beso fue un mes después y nos casamos a los diez meses.

Empezamos a ser novios en septiembre y en enero Renato dijo
que podíamos casarnos. Él no hizo oficial el pedido. Cuando
se fue le conté todo a mi padre, quien gritó:

—¡Él primero tiene que hablar conmigo!

Y cuando él regresó en la noche, la casa estaba llena de visi-
tas y mi padre lo llamó:

—¡Renato, ven acá!

Renato apareció en la sala y mi padre dijo:

—¡¿Qué es eso de casamiento?!

Había varios obispos en la sala y él miraba a cada uno y
preguntaba:

—¡¿Usted qué opina?!

Y todos daban su opinión:

—¡Ah, ella es muy joven! ¡Ah, él no tiene experiencia!

Mi padre decidió que debía terminar la escuela antes de ca-
sarme. Terminé en junio y me casé en julio. Nuestro noviazgo
era en la sala de la casa. Mi padre pasaba y decía:

—¡Eh! ¡Los estoy viendo desde aquí!

De verdad, esa historia ocurrió. Estaba preocupado por
los perfiles de quienes recibirían a mis queridas hijas. Para
llegar a ser mis yernos, Renato y Júlio encararon obstáculos parecidos. En el caso de Renato, él escuchó de mí la siguiente advertencia:

—Muchacho, si le haces algo a mi hija, te arranco la cabeza —afirmé, seco, fijando los ojos en él.

El día 6 de julio de 1991, Cristiane se casó. La ceremonia
aconteció una noche de sábado, en un bufé en el barrio de

Indianápolis, en São Paulo, para cerca de trescientos invitados. Ella tenía 17 años y Renato, 19 años. Su boda estuvo rodeada de tormentos.

Era un periodo terriblemente difícil para mí a causa de los ataques resultados de comprar TV Record. Las ofensas y calumnias venían de todos los lados de la prensa. Mi nombre era atacado diariamente en la televisión y en los periódicos. La presión golpeó a Ester y a las muchachas de frente.

—Mi padre recibía amenazas constantes de que sería encarcelado si continuaba con la compra de la Record. Decían que lo detendrían frente a mí, en el día de mi boda —recuerda Cristiane.

—Amenazaron incluso a la familia del novio —cuenta Ester, quien vivió en silencio el sentimiento de verme en medio de tanto sufrimiento, días antes de casar a nuestra primera hija—. Él, por momentos, explotaba, gritaba, se desahogaba. No había nadie capaz de calmar a Edir. Yo estaba a su lado, esforzándome por controlar su estado emocional todo el tiempo. Edir llegó a su límite.

Infelizmente, así realicé la boda de Cristiane. En la puerta del salón, nuevas escenas de humillación al ser víctimas de más agresiones. Cuando llegamos en el automóvil, vi por la ventana a un enorme grupo de fotógrafos junto a hombres y mujeres que gritaban:

—¡Ladrón! ¡Ladrón! —algunos me insultaban, entre los empujones de los periodistas, mientras partíamos rumbo al salón de fiestas.

Cristiane se enojó con tantas faltas de respeto:

—En ese instante, me sentí devastada. Tenía ganas de responderles a todos y pedir un poco de consideración por el día de mi boda.

En aquel momento sentí la necesidad de calmar a mi hija. Ella no merecía pasar por una situación tan incómoda. Tranquilamente, le dije:

—No les hagas caso, hija. Ten paciencia. Así son las cosas. Hoy es tu día.

Cristiane y Viviane no comprendían del todo la complejidad de la situación. Ester y yo procurábamos proteger nuestra casa lo máximo posible. No era justo transmitir a nuestras hijas adolescentes la gravedad de la injusticia que nos abatía.

Las preocupaciones por el futuro de la Iglesia y la lucha por el sueño de conquistar una emisora de televisión, para contribuir a la predicación del Evangelio en todo Brasil, como de hecho ocurrió, eran gigantescas dentro de nosotros. Aunque siempre fuimos movidos por la fe y la confianza sin reservas en las promesas de Dios, nuestro estado emocional, por momentos, dejaba ver la tensión de la fase que vivíamos.

—Un día, al llegar de la iglesia, encontré a los dos llorando solos en la oficina de la casa. Ellos no compartían nada de eso ni conmigo ni con Viviane, siempre nos protegían, pero sabíamos que algo andaba mal —reflexiona Cristiane.

A diferencia de mí, Ester siempre estuvo presente en el día a día de Cristiane en los momentos que antecedieron a su boda. Las dos prepararon juntas el vestido de novia.

Yo no estaba con ánimos de fiesta, pero me propuse darle un regalo a Cristiane. Fue una pena no poder aprovechar al máximo esos últimos instantes de soltera de mi hija mayor. No tuve esa oportunidad por enfrentar una batalla tan grande, pero que hoy resultó en conquistas espirituales igualmente grandes. El día de la boda, vino a mí esa sensación. Quien es padre entiende qué nos pasa por dentro.

Cuando entré en el salón con Cristiane, los problemas se quedaron afuera. Mientras caminaba lentamente con ella de la mano, Viviane lloraba y sollozaba. Al ver la escena, los ojos de Cristiane se llenaron de agua. De repente, la música se detuvo y de nuevo calmé a Cristiane.

—Todo está bien, hija. Todo va a estar bien —balbuceaba a sus oídos.

Antes de entregar a Cristiane en las manos de Renato, le di un fuerte abrazo recordando todo lo que vivimos juntos. No quería soltar a mi hija. Las lágrimas fueron inevitables. Para mí, ellas siempre serán mis muchachas. Niñas que nacieron y crecieron envueltas en cariño y ternura.

Ester estaba más sosegada. Ella ya había llorado los seis meses anteriores a aquel día inolvidable, principalmente cuando oía con Cristiane la música de la ceremonia. Parecía haberse preparado para perder a nuestra hija. Ella orientaba a las muchachas sobre la vida íntima, su conducta como esposas en las responsabilidades de la casa y, principalmente, para jamás dejar de ser mujeres de oración.

Durante la ceremonia, oficiada por mí, olvidé todos los ataques y tormentos y me concentré en dar lo mejor a mi hija. Era un instante único. Así que puse la mano de ella en la de Renato y dije las siguientes palabras ante el micrófono:

—De ahora en adelante, mi amor, serán solo tú y tu esposo. Ya no existen papá y mamá. Ustedes tienen que resolver sus problemas entre sí. Ese es el significado del matrimonio. Es el uno por el otro —prediqué, con el salón repleto de amigos.

El matrimonio de Cristiane significó mucho para mí. Probó que mi ejemplo como marido al lado de Ester generó frutos para toda la vida.

—Un matrimonio acorde a los principios de Dios es la base de todo. Yo siempre vi ese equilibrio y entendimiento entre mis padres. Cuando uno estaba enojado, el otro estaba tranquilo. Si mi padre no tuviese el matrimonio que tiene, no habría soportado tantos sinsabores en la vida. Él no sería quien es. Mis padres fueron mi base para conocer a Dios. A causa de su vida, logré percibir a Dios. Ellos predican valores que viven. Nunca dudé de Dios ni tuve ganas de conocer el mundo. Yo quería un matrimonio con el exacto modelo que ellos siempre vivieron —analiza Cristiane.

Lágrimas de alegría

Así como Cristiane, Viviane también dejó nuestra casa antes de cumplir 20 años. Las dos mantienen un perfil semejante: conversan y se divierten bastante, pero siempre se colocan en segundo lugar cuando están cerca de sus esposos. Casada hace 21 años, Viviane ya vivió con Júlio Freitas, originario de Bahia, en diversos países como Sudáfrica, Estados Unidos, España y Portugal, siempre dedicando sus vidas al trabajo misionero.

Júlio apareció en nuestras vidas cuando fui a Ceará a realizar una reunión de pastores. Yo estaba sentado en el sofá al lado de Ester cuando él apareció en la puerta de la oficina de la iglesia. De inmediato, Ester me miró y me dijo:

—¿Estás pensando lo mismo que yo?

—Sí. Vivi —estuve de acuerdo al instante.

Al inicio de 1991, después de nueve meses como pastor en el Ceará, Júlio fue trasladado a São Paulo, donde encontró a Viviane en las reuniones de la antigua iglesia de Brás.

—Yo me enamoré de Vivi, pero no sabía con seguridad que ella era la hija del obispo Macedo. Cuando lo supe, me asusté. Pensé: «Si yo ya me mato aquí como pastor auxiliar, Dios mío del Cielo, ¿qué pasará si me involucro con la hija del obispo Macedo?». Es mi fin… —narra Júlio, con buen humor.

En ese tiempo, Viviane había terminado un noviazgo de tres meses y no estaba interesada en nuevas relaciones. Júlio tenía un poco más de experiencia: había terminado un noviazgo con una mujer seis años mayor que él.

Un mes después de que inició el noviazgo de Viviane, ella volvió a Estados Unidos. En realidad, su noviazgo fue casi todo a distancia. Ella fuera de Brasil y él lidiando con las responsabilidades de un auxiliar de pastor, aun así la relación no se enfrió.

Volvimos a Estados Unidos debido a las fuertes agresiones que sufrimos después de comprar Record. Como ya escribí antes, procuraba no transmitir la gravedad de la situación a las muchachas. Viviane solo se dio cuenta de lo que estaba pasando cuando nos cerraron el paso, mientras viajábamos en automóvil, y me llevaron a prisión en São Paulo, pocos meses antes de su boda.

Un año y un mes fue el tiempo exacto que pasó para la boda de Viviane, celebrada el día 22 de julio de 1992. Viviane y yo entramos sonriendo a la antigua Universal de Santo Amaro. Júlio estaba serio, tenso como todo novio en el día de su boda.

Recuerdo que, en el momento en el que hice la oración, lloré.

—Mi Dios, cuando ella pase por momentos difíciles, recuerda, Señor, esta oración —clamé frente al micrófono.

Viviane cuenta que, hasta hoy, siempre que vive momentos difíciles recuerda esa oración. Enseguida, bendije a la pareja y dije:

—Que sean felices como lo somos Ester y yo. En la escasez, en la abundancia, entre la multitud o en un lugar desconocido donde nadie sepa quiénes son ustedes. Que tengan el mismo amor, la misma alegría, la misma disposición que tenemos nosotros. Nadie podrá quitarles esta bendición. Es nuestra riqueza y es también lo que tanto deseamos para los demás.

CAJA DE MADERA

Aun durante la adolescencia de Cristiane y Viviane, Ester y yo siempre pensamos en adoptar un hijo varón. Sería la realización de un antiguo deseo. En aquel tiempo, procuramos incentivar los procesos de adopción en los pastores de la Iglesia Universal con o sin hijos; finalmente era un acto inteligente adoptar niños rechazados en vez de traer más hijos a este mundo tan terriblemente difícil. ¿Cuál es el valor de salvar el alma de un huérfano o niño abandonado?

En la actualidad gran parte de los pastores de la Universal opta, voluntariamente, por no tener hijos al entender que así es posible dedicarse más a la predicación del Evangelio. Otra parte cría hijos adoptivos con el mismo cariño y amor que tendrían hacia un hijo biológico. Así, Ester y yo nos hicimos de nuestro tercer amado hijo: Moyses, el más pequeño, hoy un hombre de 28 años.

La llegada de Moyses a nuestro hogar, a mediados de 1985, es una historia enredada difícil de creer.

—Estaba sentada en la antigua Universal de Abolición, al lado de doña Ester, participando de la reunión del obispo Macedo. La iglesia estaba llena, cuando llegó una señora con un bebé en sus brazos y un cajón de madera en la mano —recuerda Marilene da Silva, mujer de João Batista Ramos, exdiputado federal y expresidente de la Record.

La mujer entró en el templo y, en línea recta, caminó lentamente hacia Ester.

—Doña Ester, mire al bebé que le traje —dijo.

—Qué bonito… —respondió Ester, sin entender bien qué sucedía, sujetando al niño entre sus brazos.

Ester recibió al niño en sus brazos durante pocos minutos. La empatía fue inmediata. Yo continuaba con la reunión normalmente, pero viendo todo lo que estaba ocurriendo. Aún encantada con el brillo de los ojos del niño, Ester devolvió al bebé a su madre.

—¡No, doña Ester! Es para usted. Para usted y para el obispo. Se los estoy dando a ustedes.

Ester y Marilene se quedaron atónitas. El movimiento llamó más mi atención. Enseguida pregunté al micrófono:

—¿Qué está pasando, Ester?

Con el bebé entre sus brazos, Ester se levantó y se acercó al púlpito, donde yo estaba.

—Edir, la joven nos esta dando a este niño. ¿Qué hago? ¡Ella quiere que el bebé se quede con nosotros!

Miré al niño, pasé mi mano sobre su cabeza, lo tomé de los brazos de Ester y me dirigí a la madre del bebé:

—¿Usted me está dando este bebé?

—Sí —respondió, caminando en dirección al altar.

—Por favor, suba aquí y explique eso por micrófono, frente a toda la Iglesia.

—Desde que quedé embarazada, pensé en darles mi hijo.

—¿Usted está segura? ¿Sabe lo que está diciendo? ¿Sabe cuántos testigos hay aquí?

—Sí, estoy segura.

Levanté al niño sobre mi cabeza y lo consagré a Dios en oración junto con toda la congregación presente en aquel momento.

—¡Hoy nace el Moyses de la Iglesia Universal!

Enseguida, los miembros y obreros que acompañaban la reunión aplaudieron durante algunos minutos. Los ojos de Ester brillaban de alegría. Los míos también.

Moyses llegó a casa a los 14 días de vida, con el cuerpo lleno de heridas. Al día siguiente, fue iniciado el proceso oficial de adopción. Hoy, él ya conoce a sus padres y hermanos biológicos, pero nos considera su verdadera familia. Yo le guardo un cariño muy especial.

—Mi madre me enseñó a comprender el trabajo de mi padre. Siempre fue nuestra gran amiga, presente en todos los momentos —define Moyses.

Toda la familia estaba encantada con la llegada de Moyses. Las muchachas, Cristiane y Viviane, peleaban por cargar al bebé. Cris fue la escogida para cuidarlo durante la noche.

—Mi hermano fue el bebé más dulce y lindo que he visto en mi vida. Tuve el privilegio de estar en la misma habitación que él, el cunero, con las más bellas decoraciones azules. Él era tan bueno que ni lloraba por la noche, pero todas las veces que hacía un ruidito, yo me levantaba y lo acariciaba un poquito y pronto se volvía a dormir. Siempre fui su *big sister*. Cuando me casé, él vivió conmigo —cuenta Cristiane.

En medio del caos de las persecuciones desencadenadas por comprar TV Record, un susto. Estábamos en un viaje misionero por Sudáfrica cuando recibimos una llamada de Ciudad del Cabo, lugar donde vivíamos desde hacía algunos meses.

—Padre, Moyses acaba de sufrir un grave accidente —contó Cristiane, atónita, por teléfono.

El niño había caído del *mezzanine* de una de nuestras iglesias. Una caída drástica de una altura de por lo menos dos metros. Se fue de cabeza al suelo. Quien vio la escena se asustó. El rescate vino al momento. Un grupo de voluntarios intentó ayudar, desesperado con la imagen del niño lastimado. Moyses fue llevado a toda prisa al hospital.

—Cuando me contaron personalmente lo que ocurrió, me impresioné. Ningún niño resistiría un accidente tan grave —cuenta Ester.

Después de ser socorrido, las lesiones se redujeron poco a poco. Un enorme chichón nació en su cabeza, pero todo terminó bien. Los médicos sudafricanos dijeron que el accidente pudo haberle provocado la muerte.

Dios conservó la vida de Moyses.

Quien hoy contemple a Ester, a mí y a nuestros hijos, Cristiane, Viviane y Moyses, logrará ver con claridad el retrato de un hogar feliz y realizado, pero, como cualquier familia, también enfrentamos nuestras luchas y angustias para llegar a donde estamos. Hasta ahora enfrentamos dificultades naturales presentes en la rutina de cualquier hogar y de la convivencia entre padres e hijos.

Eso me hace ver dentro de mí y me hace consciente de cuán pequeñitos somos y del tamaño de mi dependencia de Dios. Cualquier familia, por más despedazada que esté, puede ser reconstruida de una forma u otra, por la perseverancia y actitudes de fe de una madre, un padre o un hijo.

¿Quién no idealiza ver concretadas estas palabras en su propia vida?: «[…] *Por mi parte, mi casa y yo serviremos al Señor*» (Josué 24:15).

OTROS DOS HIJOS VARONES

Mis encuentros familiares siempre fueron poco frecuentes durante los últimos años debido a la rutina de viajes y reuniones en la Universal por todo el mundo. Algunos años atrás, convivimos con mis hijas y yernos, pero, invariablemente, por un periodo limitado. Ester y yo viajamos mucho desde que la Iglesia logró una sobresaliente presencia en más de cien países.

Completamos, ininterrumpidamente, centenares de horas de vuelo en pocos meses. Para cumplir nuestra agenda misionera de compromisos en Brasil y en el exterior, llevamos nuestra condición física al límite en innumerables ocasiones. Durante cierto periodo, recuerdo haber registrado una marca exhaustiva al lado de Ester: en solo 60 días enfrentamos 55 horas de vuelo en 28 husos horarios diferentes, sin contar los desplazamientos por el interior de cada país.

Recientemente, tuve la alegría de volver a vivir bajo el mismo techo con Cristiane y Renato. Júlio y Viviane continúan viviendo en el exterior pues son responsables del trabajo evangélico en toda Europa. Cuando estamos todos juntos, aprovechamos al máximo cada minuto. Recordamos el pasado, damos buenas carcajadas y reconocemos el poder de Dios en nuestras vidas.

Mientras las mujeres se juntan para conversar largamente durante horas seguidas, mis yernos y yo, casi siempre acompañados de otros líderes de la Universal, discutimos sobre diversos asuntos relacionados con las familias y el estado actual de la Iglesia.

Casi siempre les remarco a ellos la importancia de que la mujer sepa su papel en el matrimonio, de acuerdo con las enseñanzas bíblicas. La sumisión de la esposa a su marido es algo natural, no forzado, que nace del amor y de la extrema consideración de ella hacia él. Jamás se trata de una situación impuesta, machista u opresora.

El hombre no es nada sin la mujer, y la mujer no es nada sin el hombre. La mujer no debe someterse a la voluntad del hombre. El hombre es quien debe colocarse como líder en una relación conyugal. Ese entendimiento nace a la luz del Evangelio. El hombre es la cabeza y la mujer el cuerpo. Imagine un cuerpo sin cabeza o viceversa. Imposible tener relación. Incluso entre pastores de la Iglesia Universal, conocemos ejemplos de ese tipo. Cuando la mujer gobierna al marido, el matrimonio padece. Si ella domina, no funcionará. No se debe sobrepasar el límite del otro.

El apóstol Pablo enseña el camino empedrado, como se dice popularmente, para un matrimonio feliz y duradero: «*Ustedes, las casadas, honren a sus propios esposos, como honran al Señor; porque el esposo es cabeza de la mujer, así como Cristo es cabeza de la Iglesia* [...]. *Esposos, amen a sus esposas, así como Cristo amó a la Iglesia, y se entregó a sí mismo por ella*» (Efesios 5:22-25).

La mayor prueba de que desaprobamos el machismo es el amplio espacio actual de las mujeres en la Universal. Tenemos varias pastoras en todo el mundo. La mujer es tan importante como el hombre. Insisto en promover el matrimonio para que los dos se conviertan en una familia. Obvio: si no existe familia, no existe Iglesia. Para mí, lo más bonito en la mujer es su simplicidad, la elegancia de su discreción. Y es lo que veo explícitamente en el comportamiento de Ester.

También comento mucho con mis yernos y los demás obispos mi profunda preocupación con el hecho de que se engendran muchos hijos en la actualidad, la mayoría de las veces de forma irresponsable y sin planeación alguna. Cristiane y Renato no tienen hijos biológicos.

Tener hijos hoy en día supone un riesgo, significa vivir en una selva. Si yo me casara hoy, jamás tendría hijos, aunque Dios me haya concedido tres hijos extraordinarios. Aconsejo abiertamente a los miembros y a los pastores no tener hijos.

El mundo es cada vez más violento, dentro y fuera de casa, los valores están invertidos, son pocas las oportunidades para el niño de tener un buen futuro. En los países desarrollados, en Europa y Estados Unidos, son cada vez más fuertes los movimientos en contra de la natalidad. Muchos podrían pensar que esto es egoísta, pero no lo veo de esa forma. Es inteligencia, cuestión de supervivencia.

Por esa razón, estoy a favor del uso del preservativo, de la vasectomía, de la salpingoclasia, de las píldoras anticonceptivas y de todos los métodos existentes, o que existirán, para el control de la natalidad. Por otra parte, no estoy a favor de usar un solo método, sino de usar dos, en caso de que uno falle. No fomentamos la promiscuidad, pero las relaciones sexuales ilícitas siempre sucedieron y siempre van a suceder.

Necesitamos ser realistas, encarar eso de frente y empeñarnos en salvar vidas. Lo que más me indigna es saber que existen grupos religiosos conservadores que aún predican lo contrario. ¿Y qué hay de los jóvenes que mueren de sida todos los días? ¿Y las enfermedades de transmisión sexual? ¿Y el aumento de madres solteras? ¿Quién asume la responsabilidad de todo eso? ¿El gobierno? ¿El clero romano? ¿Quién?

También estoy a favor del derecho de la mujer a elegir tener o no hijos. En casos como violación, malformación del feto o cuando la vida de la madre se encuentra en peligro por la gestación, no hay nada qué discutir. Sí, estoy a favor del aborto.

La Biblia dice: «*Porque esa gente podrá engendrar cien hijos, y vivir muchos años, y llegar a una edad muy avanzada, pero si nunca satisface sus deseos, y además se queda sin sepultura, yo digo que un abortivo le va mejor»* (Eclesiastés 6:3). Brasil debería unirse por el derecho de la mujer a optar por el aborto. Nuestros gobernantes deberían empeñarse en eso y no ceder ante la presión de algunos segmentos religiosos. Sin duda, gran parte de nuestros males sociales disminuiría.

Piense conmigo: ¿es mejor que la mujer no tenga a su bebé o tenerlo y tirarlo a basura? El número de jóvenes solteras de 12, 13 años dando a luz no deja de aumentar. Niñas que deberían estar en la escuela, pero están en casa cuidando a sus hijos. No es necesario hacer muchas conjeturas. ¿Cuál será el futuro de esos niños? ¿Qué capacidad tiene un muchacho de 14, 15 años para ser padre? ¿Cómo una muchacha que apenas entró a la adolescencia puede ser madre?

La mayoría de ellas son pobres, cuyos hijos crecen en un ambiente rodeado de violencia y miseria. ¿Qué esperanza hay para esos niños que, tarde o temprano, terminan reclutados por el crimen? Vamos a ser fríos y racionales: ¿es preferible que el niño no venga al mundo o verlo en los basureros recogiendo comida para sobrevivir? Yo creo en la Biblia. En esos casos, creo que el aborto es mejor que nacer. La mujer necesita tener el derecho a elegir.

En el transcurso de la elaboración de este mi libro de memorias, fui positivamente sorprendido con un regalo de mis yernos. Renato y Júlio escribieron cartas cargadas de gentileza y gratitud por todo lo que vivimos juntos a lo largo

de las últimas décadas. Me gustaría que supieran, públicamente, que los considero mis hijos.

No existen suficientes palabras para agradecer tanto
amor y cuidado que los dos tienen hacia mis hijas. Ellas son
un pedazo de mí y de Ester. Todo el bien que ellos hagan a
mis dos muchachas, directa o indirectamente, nos lo hacen
a nosotros.

Abajo, las palabras cordiales de Renato Cardoso:

Querido obispo Macedo:

«Si tú le haces algo ruin a mi hija, ¡te corto la cabeza!».

*Fue con tales palabras dulces (risas) que usted se dirigió a mí por
primera vez cuando fui a pedirle permiso para ser novio de Cristiane
en 1990. Por supuesto, aún tengo pesadillas a causa de eso…*

*Dejando de lado las bromas, esas palabras reflejan al hombre
que he tenido el privilegio de conocer de cerca. Voy a mencionar tres
cosas que están contenidas en ellas y que me bendicen todos los días.*

*Primero, la más pura sinceridad. Nunca necesité dudar de algo
que usted dijera. Nunca lo vi fingiendo ser, pensar o sentir algo. Muchas veces ya lo vi sufrir por decir lo que piensa, por ser directo, pero
no por disimular. Usted es la encarnación de la frase que se volvió
famosa en sus labios: «¡Es o no es!». Usted es quien es. Y en un mundo
de apariencias, de promesas hechas para ser rotas, esa sinceridad es
un tesoro para todos los que lo conocen y conviven con usted.*

*Segundo, valorar a la familia. El cuidado que usted tuvo con
su propio matrimonio al escoger a doña Ester; cuidar a quienes sus
hijas escogerían para casarse; cuidar a quienes los pastores escoge-
rán para casarse, como si fuesen sus propios hijos —eso es algo que
nunca vi.*

Mucho antes de la Escuela del Amor y del Matrimonio Blindado, usted ya entendía que un buen matrimonio protege la vida de una persona. Yo y millares de otras parejas y familias disfrutamos ese entendimiento que el propio Dios le dio. Ese es nuestro blindaje.

Tercero, el celo por nuestra cabeza. Con aquellas palabras sinceras de un padre protector, «... te corto la cabeza», usted resumió una de las lecciones más importantes en la vida: pensar antes de actuar.

Parece obvio, pero basta ver el mundo para darse cuenta de que la mayoría de las personas no tiene como prioridad pensar. Actúan por sentimientos y no por la inteligencia, por el corazón y no por la cabeza. Muchas son inteligentes en lo profesional, exitosas en el trabajo, pero fracasan en otras áreas de sus vidas por ser víctimas de sus emociones.

Dios le reveló a usted el concepto de la «fe inteligente», que cela la cabeza e ignora al corazón.

Es esa fe racional lo que me hace entender que, si un día yo le hiciera algo malo a su hija, mi esposa, sería porque ya perdí la cabeza. Cortarla sería innecesario.

Hay mucha gente perdiendo la cabeza a causa del corazón. Gracias por enseñarme a celar mi cabeza.

Esta siempre estará en su debido lugar.

Tuve que resumirlo, pero esas tres cosas continúan bendiciéndome hasta hoy. Y es lo que obtuve solo de las primeras palabras que me dijo. Sería necesario un conjunto de libros para describir lo que he aprendido con usted a lo largo de estos 24 años.

Por eso, cuando usted decidió hace algunos años no dejar ninguna herencia a sus hijos, en nada me dolió. La mayor de todas ya la tengo: el ejemplo de fe a seguir.

Gracias por no tener nada que perder. A causa de esa fe, noso-tros tenemos todo.

Renato Cardoso.

Ahora, el mensaje afectuoso de Júlio Freitas:

Obispo, usted ha sido el buen pastor.

Aquel que diariamente da la vida por sus ovejas. Y yo formo parte de este rebaño incontable de la Iglesia Universal esta-blecida en más de cien países.

Alabo y agradezco a Dios todos los días por haber sido alcan-zado por medio de este trabajo libertador, inteligente, prácti-co y salvador del Señor Jesús a través de su vida.

El día que tuve mi encuentro con Dios y fui transformado en un nuevo hombre, el 24 de diciembre de 1988, era usted quien oficiaba la reunión.

Fue la primera vez que lo vi realizando un culto de fe. Jamás podría imaginar ahí que tendría la honra de servir a nuestro Dios en el altar y que un día tendría el placer de trabajar lado a lado con usted y, aún más, el de convertirme en miembro de su familia compartiendo la vida con Vivi en un matrimonio feliz y bendecido. Recuerdo sus palabras directas en aquella reunión: «En el pasado, Dios usó a Abraham, Moisés, Elías, Samuel, David, y hoy quiere usarlo a usted».

En ese momento dije en mi interior: «Dios viviente, haz que te conozca en persona como este siervo tuyo. Dame un poco de tu Espíritu, pues quiero tener el mismo entendimiento, va-lor, amor y devoción que el obispo Macedo».

Y sucedió. ¡Qué maravilla! ¡Ah, qué día!

Mis palabras jamás podrán demostrar lo mucho que fue, es y siempre será importante para mí y para otros millones de personas. Usted ha sido mi pastor, líder, padre y amigo de fe inteligente en el servicio a nuestro rey y Señor Jesús. Dios es testigo de que desde que lo conocí a Él, he orado por usted y por doña Ester. Pido a Dios que lo inspire, fortalezca, guarde y use, poderosamente y grandiosamente, para dar a otras almas la misma oportunidad que me fue dada. He pedido a Dios que me use tanto como lo ha usado a usted. Queremos que todos sepan que Jesucristo es el Señor. Que el Espíritu Santo conserve en usted el temor, la obediencia a la Palabra de Dios, el valor y la indignación inteligente todos los días de su vida, porque cosas mayores y extraordinarias están sucediendo gracias a su liderazgo incomparable.

El mismo obispo gigante que vi en el altar en 1988 es el mismo gigante sobre y fuera del altar hoy. Siempre predicando lo que vive y viviendo lo que predica. Lo amo como nunca amé a mi padre biológico. Lo amo con todas mis fuerzas.

De su fiel escudero hasta la muerte, Júlio Freitas.

«MIS OJOS VAN A ESTAR ABIERTOS, Y MIS OÍDOS VAN A ESTAR ATENTOS A LA ORACIÓN QUE SE HAGA EN ESTE LUGAR. YO HE ELEGIDO Y SANTIFICADO ESTA CASA, PARA QUE EN ELLA ESTÉ MI NOMBRE SIEMPRE. MIS OJOS Y MI CORAZÓN ESTARÁN AQUÍ SIEMPRE.»

(2 CRÔNICAS 7:15 Y 16)

CAPÍTULO 3

EL TEMPLO DE LA SANTIDAD

Rescatar la reverencia

Siempre soñé con rescatar la santidad de la Iglesia. Desde joven convertido, procuraba encontrar espacios de oración que dieran el valor a este bien tan valioso en nuestra relación con Dios: el temor en el trato con las particularidades espirituales. La gran mayoría de las denominaciones evangélicas en Brasil y en el mundo desprecian eso con el paso del tiempo.

Mucha gente platica, se levanta y hasta grita como loca durante los cultos. Los símbolos de la fe no se tratan con la importancia debida. Los mismos pastores tratan sus templos como edificios comerciales, sin cuidar los preceptos bíblicos. Solo una minoría logra comprender el significado sagrado del espacio de la iglesia. Pocos tienen la capacidad de asimilar a fondo la definición de «la Casa de Dios».

Tal vez esa ha sido una de las mayores conquistas de la apertura del nuevo Templo de Salomón. El rescate de la conciencia de la santidad al Dios de la Biblia.

La práctica de esa reverencia comenzó desde el planeamiento de la construcción, en julio de 2010. Seguí de cerca la obra hasta en sus mínimos detalles. De la piedra fundamental a los pilares de apoyo, de las lámparas a la tela de las butacas, de las piedras de la fachada al revestimiento del Arca de la Alianza. Todo fue escogido minuciosamente por mí y por mis compañeros. Siempre con consideración, cuidado, cariño.

Subí y bajé andamios, pisé en tierra suelta, estudié planos y más planos, analicé proyectos con ingenieros y arquitectos, aprobé pesos y medidas. Coloqué mi vida en cada pedacito del Templo de Salomón. Lo mejor de mí para erigir ese espacio tan sagrado al Dios de Israel, mi Señor.

El proyecto arquitectónico siguió al pie de la letra las referencias bíblicas del primer templo erigido en el pasado por el rey Salomón, acompañado de estudios realizados en Israel, desarrollado por los más avanzados conocimientos de ingeniería y tecnología del mundo.

El terreno escogido fue una enorme área en el barrio de Brás, en São Paulo, que abriga cuatro amplios edificios. El principal de ellos, con la nave de la iglesia, tiene capacidad para 10,000 personas sentadas.

Siga a continuación algunas de las revelaciones y significados del Templo de Salomón:

EL SENTIDO DE LA CONSTRUCCIÓN

El objetivo de construir la réplica del Templo es puramente espiritual. Deseo que las personas vean la santidad de Dios. Mi intención es que quien entre sienta el respeto, el temor, la reverencia hacia nuestro Señor.

También deseo proporcionar a los cristianos la oportunidad de estar en un pedazo de Israel en Brasil, inspiración nacida en una de mis peregrinaciones a Tierra Santa, en diciembre del 2009.

No se trata de un proyecto personal o de la Iglesia Universal, sino un simple deseo de despertar la fe de los tiempos bíblicos en los visitantes de las más diferentes creencias y religiones.

Dentro del Templo

El conjunto de minúsculas lámparas recrea, de forma moderna, el ambiente de Israel. La impresión resultante es la de estar bajo un techo de oro, de tres mil años de antigüedad. El proyecto fue tan bien hecho que no es posible percibir la iluminación ni el aire acondicionado.

En las paredes laterales, doce grandes *menorás*, representando los antiguos candelabros de aceite y las doce tribus de Israel. Las puertas de acceso fueron trabajadas, están hechas de madera y revestidas de cobre. Un sistema de traducción simultánea permite a mil extranjeros comprender al mismo tiempo todo lo que se diga en los cultos.

El altar guarda una sorpresa especial, reservada apenas para quien lo visite personalmente.

Piedras de Israel

Para las paredes y para el piso usamos piedras traídas de Israel. Durante cuatro años, hombres y máquinas de una

cantera en Hebrón se dedicaron a cortar piedras gigantescas. Fueron 40,000 m², lo suficiente para llenar diez campos
de fútbol, siempre enviados desde el puerto de Ashod, por
el mar Mediterráneo, en un viaje de 30 días hasta São Paulo.

LA EXPLANADA

La plaza frente a la construcción tiene cuatro palmeras
de quince metros de altura, centinelas que dan la bienve-
nida a los visitantes de todas partes del mundo. Del lado
derecho del Templo está el Jardín das Oliveiras [Jardín de
los Olivos], doce árboles importados que tienen alrededor
de trescientos años.

DOS TEMPLOS DESTRUIDOS

Antes del nuevo Templo de Salomón en São Paulo, dos
templos fueron erigidos y derribados a lo largo de la historia.
El primero fue edificado por Salomón en una obra grandiosa.

Fueron contratados profesionales de varias partes del
mundo para el trabajo. Los números son impresionantes
para esa época: para cortar la madera, fueron designados
treinta mil hombres; para cortar las piedras, ochenta mil;
para los trabajos generales, cerca de setenta mil obreros.

El Templo, un termómetro entre el pueblo de Israel y
Dios, fue saqueado y destruido por los babilonios después
de que la idolatría se apoderó de aquella generación. Con el
paso de los años, un segundo templo fue erigido en el mismo
lugar del primero y, décadas después de la venida del Señor
Jesús, fue arruinado por los romanos. Solo quedó una parte,
que hoy es conocida como el Muro de los Lamentos.

NINGÚN ACCIDENTE

Yo seguí de cerca a los tractores y excavadoras abriendo camino para la edificación del Templo de Salomón en São Paulo durante varios meses. Por lo menos cada veinte días, estábamos presentes en el terreno supervisando el proyecto, paso a paso.

Las proporciones de la obra fueron gigantescas: 1,400 hombres, dos toneladas y media de hierro, dos toneladas de acero y 145,000 sacos de cemento. Operarios trabajaron todo el año, 24 horas al día, siete días a la semana, sin parar y a todo vapor.

La construcción generó millares de empleos directos e indirectos, y en cuatro años de trabajo no tuvimos ningún accidente grave.

RÉPLICA I

Una de las áreas que más aprecio es el Cenáculo. El predio tiene un espejo de agua muy bonito. Ahí contamos la historia del pueblo judío y también de los templos que un día fueron erigidos en Jerusalén.

El techo redondo tiene un significado: simboliza el Monte Moriah, donde Abraham subió para ofrecer a Isaac como sacrificio y el lugar donde fueron erigidos el original Templo de Salomón y el segundo Templo.

En el centro del Cenáculo está expuesta, en miniatura, una maqueta del Tabernáculo. Alrededor de la maqueta se encuentran las doce columnas. De un lado, elementos del Tabernáculo y del propio Templo. Del otro, doce escudos de armas que representan a las doce tribus de Israel, obra de un artista israelí.

RÉPLICA II

El Tabernáculo fue el primer templo itinerante usado por el pueblo hebreo en su larga travesía por el desierto. Era una especie de tiendas sagradas que abrigaban el Arca de la Alianza, reliquia con las Tablas de la Ley entregadas por Dios a Moisés.

Esas tiendas solo podían ser cargadas por los levitas, hombres escogidos y que tenían la obligación de cuidar que todo saliese de forma perfecta, según la voluntad de Dios. Se les llamaba levitas por ser integrantes de las doce tribus de Israel y descendientes de Leví.

En el terreno anexo al Templo hay una réplica del Tabernáculo con las mismas medidas descritas en la Biblia. No falta ningún elemento: el atrio, las columnas, las tablas, los travesaños, las cubiertas, el altar del holocausto y el lavatorio. En el interior, la *menorá*, la mesa de panes, el altar del incienso y el velo.

INSPIRACIÓN JUDÍA

Una curiosidad que descubrí a lo largo de la construcción del Templo de Salomón es mi ascendencia judía. Autoridades del centro de cultura del judaísmo explicaron que Bezerra es un apellido de origen *cristã-novo*,[8] es decir, aparece en diversas relaciones de apellidos de origen judío en Brasil, sobre todo en el nordeste.

Mi padre se llamaba Henrique Francisco Bezerra y nació en la ciudad de Penedo, en el interior de Alagoas. Mi ma-

---

[8] En Portugal, España y Brasil, con este término se les denominaba a los judíos convertidos al cristianismo. [N. de la T.]

dre, Eugênia Macedo Bezerra, también tiene raíces judías. La familia Macedo fue reconocida por el gobierno español como sefardita, es decir, judíos originarios de ciertas regiones de Europa. La madre de ella, mi abuela Clementina Lorio de Macedo, era italiana.

Nuestro patrocinio

No hubo ni un solo centavo procedente de donaciones de dinero público o de grandes empresas privadas. Las ofrendas provinieron única y exclusivamente de donaciones del pueblo de la Iglesia Universal del Reino de Dios.

Todo ese empeño, celo y sudor fueron honrados con una inolvidable ceremonia de inauguración en presencia de las más renombradas e ilustres autoridades y personalidades brasileñas y de otros países.

Una huella con diferentes significados en mi vida que vamos a entender en las próximas páginas.

Al final, ¿qué representó un evento tan grandioso y qué pasó por mi mente en esos momentos tan singulares?

El Templo de Salomón, en São Paulo: una obra erigida con el sudor del pueblo de la Iglesia Universal únicamente para gloria del Dios de Israel, el único y verdadero Dios.

Me aseguré de seguir la construcción en sus mínimos detalles. Subí y bajé andamios, pisé en tierra suelta, estudié planos, analicé proyectos con ingenieros y arquitectos, aprobé pesos y medidas. Coloqué mi vida en cada pedacito de esta obra.

El día de mi primera reunión en el santuario con obispos y pastores de todo el mundo. La consagración del Templo, puertas abiertas para abrigar a los afligidos y necesitados, está registrada en mi memoria.

La inauguración oficial del Templo de Salomón reunió a las autoridades y personalidades más importantes de Brasil y de otros países. La Obra de Dios fue honrada con la presencia de los representantes de todos los poderes de la República, en una noche histórica.

Antes de llamar para una oración al pie del altar, reafirmé que no tengo nada que perder en este mundo. Mi sufrimiento es únicamente por quienes viven alejados de la misericordia de Dios.

La alfombra roja, al final, reservada para la verdadera y única Autoridad
Suprema. La entrada del Arca de la Alianza conmovió a todos los presentes.

El presentador Silvio Santos abrió un espacio en su emisora para reconocer el valor del Templo de Salomón. Agradecí su amabilidad por medio de una carta.

La inauguración reunió a los más importantes medios de comunicación del mundo, destacando los símbolos bíblicos de la construcción, como el Cenáculo y el Tabernáculo.

En un clima de reverencia a la santidad del Templo, prediqué sobre el mayor tesoro del ser humano: conocer a Dios.

MIS PRIMEROS PASOS EN EL ALTAR

El día 19 de julio de 2014, una mañana de sábado, realicé la sagrada reunión de consagración del Templo de Salomón. Era la primera vez que pondría mis pies en el altar para predicar en el Santuario.

En el salón, solo obispos y pastores del mundo entero, los levitas y un reducido número de empresarios. De Brasil, millares de hombres de Dios. Del exterior, un representante de cada país donde la Universal ya hincó su bandera de fe.

No eran más que las nueve de la mañana. En la pared de piedras encima del altar, la nueva inscripción: *«Santidade ao Senhor»* [Santidad al Señor]. Entré en espíritu de oración. La barba blanca. El kipá. El *talit*, chal utilizado por los hebreos mientras dirigen sus súplicas a Dios. Me arrodillé para la primera oración en la historia del Templo de Salomón. Mis palabras reflejaron lo que había dentro de mí. El momento de la consagración de aquel espacio sagrado de loor y adoración:

Oh, Espírito Santo, o Senhor que unge e ungiu os Teus servos do passado, unge os Teus servos do presente.

Neste instante solene, meu Pai, venha ungir cada milímetro desse espaço de forma que todas as pessoas que entrarem neste lugar, sejam de qualquer religião, raça, cor, sexo ou idade, venham receber esta unção.

A unção que faz a diferença. A unção que dá autoridade e poder. A unção que cura os enfermos e liberta os oprimidos. A unção que transforma vidas. A unção que, sobretudo, nos guia pelo caminho da justiça e da salvação.

Que o mesmo Espírito dessa unção se estenda aos aflitos, feridos, cansados e sobrecarregados de injustiças.[9]

En las paredes del Templo, la iluminación de las *menorás* nos transmite una lección de fe. El aceite de oliva nunca podía faltar para que el fuego de las siete luminarias no se apagara. El Espíritu Santo no puede ausentarse de nuestras vidas. La primera canción que resonó en el Templo expresa el sentido de mi existencia. La razón de todo:

«Eu adorarei ao Senhor da minha vida que me compreendeu sem nenhuma explicação...»[10].

---

[9] «Oh, Espíritu Santo, el Señor que unge y ungió a tus siervos en el pasado, unge a tus siervos del presente. / En este instante solemne, mi Padre, ven a ungir cada milímetro de este espacio de forma que todas las personas que entraren en este lugar, sean de la religión, raza, color, sexo, edad que sean, reciban esta unción. / La unción que hace la diferencia. La unción que da autoridad y poder. La unción que cura a los enfermos y libera a los oprimidos. La unción que transforma vidas. La unción que, sobre todo, nos guía por el camino de la justicia y de la salvación. / Que el mismo Espíritu de esa unción se extienda a los afligidos, heridos, cansados y sobrecargados de injusticias». [N. de la T.]

[10] «Yo adoraré al Señor de mi vida que me comprendió sin ninguna explicación...». [N. de la T.]

Dios me comprendió. Y me eligió y me escogió. Solamente mi Señor. Cuando nadie era capaz de entender lo que desgarraba mi pecho, Dios me entendió y, durante casi cuatro décadas de existencia, realizó lo extraordinario en la Universal y en mi vida.

Yo levanté mis manos en silencio. Apenas repetí la palabra «aleluya».

—Aleluya. Gracias, Dios mío. Aleluya —dije, en un tono casi imperceptible.

Glorificar y hacer loores a Dios son el significado de la expresión «Aleluya».

En mi mente, el recuerdo de una escena vivida hace décadas. Fui rechazado al intentar salvar un alma cuando aún era un recién convertido a la fe cristiana.

Todos los días evangelizaba a uno de mis compañeros de la escuela preparatoria con quien asistía a las clases. Tal era la ansiedad de conquistar aquella vida para el Señor Jesús que yo ni siquiera estudiaba con atención. Hablé tantas y repetidas veces, pero él nunca me escuchó. Cierto día me interrumpió antes de comenzar a hablar.

—Escucha algo, Edir, cada uno tiene su religión. Sigue la tuya que yo sigo la mía —me reprendió.

El rechazo fue un fuerte golpe para mí. Al regresar a casa, caminando, solitario, en la oscuridad del Aterro do Flamengo, en Río de Janeiro, lloré. Sollozaba a causa de tanto llanto, bajito, al mismo tiempo le preguntaba a Dios y me preguntaba a mí mismo:

—Le hablé de la salvación de su alma y, ¿qué oigo como respuesta? Mi Padre, yo solo quería ganar a esa persona para Jesús.

Sin saber, en aquel momento, Dios oyó mi oración y vio mi intención sincera de ganar almas. Mirando hacia atrás, veo que la Biblia se cumplió. Abraham deseaba solo un hijo, un único heredero, y Dios le dio una descendencia innumerable como las estrellas del cielo.

En el pasado, cierta madrugada, yo también miré al cielo estrellado buscando la promesa del Dios de Abraham. Y hoy la Universal se esparció por los cuatro rincones de la Tierra, generando un contingente incontable de vidas salvadas para el Reino de Dios. La Iglesia se convirtió en un ejército gigantesco esparcido por los cuatro continentes. Millares de pastores. Centenas de millares de levitas y obreros. Millones y millones de hombres y mujeres fieles.

Ahí en el altar del Templo, las lágrimas volvieron. Solo que de alegría y gratitud por todo lo que aconteció a lo largo de las últimas décadas.

¿Cómo no derramarse de agradecimiento al Dios del Templo de Salomón? ¿Cómo dejar de ser grato al Dios de mi salvación?

«Espírito, Espírito, que desce como fogo...
vem como em Pentecostes e encha-me de novo»[11].

Fueron innumerables desiertos y espinos para finalizar la construcción del Santuario. Las obras terminaron después de un gran sacrificio. El Templo de Salomón tiene sus puertas abiertas.

Pero el fin es apenas un nuevo comienzo. La Universal va a continuar avanzando en Brasil y en todo el mundo siempre con nuevos desafíos.

---

[11] Espíritu, Espíritu, que desciende como fuego... / ven como en Pentecostés y lléname de nuevo». [N. de la T.]

Un día para siempre

La vida es efímera. Nacemos, crecemos, construimos nuestro camino recorrido y partimos de este mundo a una velocidad increíblemente acelerada. Ochenta, noventa años pasan a un ritmo tan fugaz que no percibimos. Y lo que queda siempre son determinados instantes marcados en nuestra memoria.

Pienso en el trayecto de los hombres y mujeres de la Santa Biblia. Momentos de su vida puestos en evidencia nos acompañan hasta los días actuales y se transforman en innegables legados de fe.

Dios exime al hijo de Abraham de ser sacrificado y él se convierte en padre de una gran nación. Moisés huye con el pueblo de Israel de la tiranía del faraón. José, ya como gobernador de Egipto, reencuentra a sus hermanos que lo traicionaron. David vence al gigante Goliat. Josué ve las murallas de Jericó derribarse. Ezequiel recibe la visión del valle de los huesos secos. El momento exacto del voto de confianza y fidelidad de Ana. Los discípulos ven al Señor Jesús resucitado.

Acontecimientos que marcaron la vida de cada uno de esos héroes de la fe. Para mí, contemplar la apertura del Templo de Salomón fue uno de esos instantes especiales.

La ceremonia oficial de inauguración, el último día de julio de 2014, fue un marco histórico para la Iglesia Universal y para mi trayectoria como siervo de Dios. Primeramente, por la importancia espiritual de abrir las puertas del mayor Santuario del país y uno de los mayores del mundo y también por reunir a tantas autoridades y personalidades en los asientos de nuestra iglesia.

Mantuve intacta mi rutina hasta la hora del evento. Recibí a la presidenta de Brasil, Dilma Rousseff, desde el estacionamiento, al iniciar la noche. Tan pronto como ella salió del automóvil, admirada con la construcción, observando los detalles del edificio, exclamó:

—Desde lejos llama la atención. Es muy bonito...

Antes de iniciar el culto, tuvimos una conversación privada. Le expliqué con detalles los significados bíblicos de la obra. La Presidenta abría ampliamente sus ojos, sorprendida, ante cada mención.

Más tarde, le mostré a la Presidenta otras áreas de visita del Templo, como el Tabernáculo y el Cenáculo, donde ella demostró mucho interés por cada particularidad. Antes de salir, extremadamente admirada, comentó:

—La Iglesia construyó algo simbólico, una representación histórica de algo mayor.

Durante la reunión, tomó asiento callada y escuchó todo con atención, de inicio a fin. Diez mil personas llenaron el Santuario. Y el culto siguió con escenas sorprendentes y conmovedoras que jamás se borrarán de mis recuerdos.

El suave sonido de la orquesta.

La fachada del Templo y el altar transformados en una pantalla gigante de cine para hablar de la fe genuina.

Las voces del encantador coro africano.

El cortejo del Arca de la Alianza.

La multitud en la silenciosa calle. El sonido de las trompetas.

La alfombra roja, al fin, reservada para la verdadera y única Autoridad Suprema.

La orquesta dirigida de forma solemne. El himno del Templo en acordes de arpas, violines y otros instrumentos armónicos.

La entrada triunfal del Arca.

Los levitas retirando el manto que protege el Arca en un ritual sincronizado y repleto de respeto y consideración. La gente estática en la explanada.

De nuevo silencio. Reverencia.

Difícil contener las lágrimas. Obispos y pastores no se contienen. El pueblo de afuera tampoco. La presencia de Dios entra en el Templo.

La predicación de la fe guiada por el Espíritu Santo. Un encuentro jamás visto de hombres y mujeres influyentes recibiendo el mensaje del Evangelio.

—Si hoy parto de este mundo, me voy feliz. No tengo nada que perder. Sí, vivo lleno de preocupaciones, pero no por mi vida, sino por los que viven sufriendo lejos de Dios —afirmé, frente al silencio respetuoso de los invitados.

Antes de llamar para una oración al pie del altar, hablé sobre la voluntad de Dios para cada alma ahí presente.

—Si usted se encanta por la belleza de este Templo, por la belleza de los símbolos y de las representaciones bíblicas de todo lo que está aquí, sepa que Dios desea hacer esa misma belleza en su vida, en su interior.

En las primeras butacas, también acompañando la ceremonia de principio a fin, decenas de las principales autoridades brasileñas. Representantes de todos los poderes de la República: el vicepresidente de Brasil, varios ministros de Estado, el gobernador de São Paulo, además de otros gobernadores de diversos estados; el prefecto de São Paulo junto con varios prefectos de importantes capitales brasileñas.

Integrantes de la religión judía y renombrados empresarios, personalidades, periodistas, artistas, dirigentes y propietarios de las mayores emisoras de televisión y radio del país.

El poder legislativo representado por el vicepresidente de la Cámara de Diputados, acompañado de parlamentarios del Congreso Nacional. Representantes del poder judicial, como los ministros del Supremo Tribunal Federal, del Tribunal Superior de Justicia y del Tribunal Superior Militar. Embajadores, jueces, promotores, procuradores y los principales agentes jefes de las policías brasileñas también estaban allí. Los más altos mandos de las Policías Federal, Civil y Militar.

Las mismas instituciones con otros dirigentes que, sin fundamento y de forma arbitraria, me lanzaron a prisión en mayo de 1992 y, durante años seguidos, atacaron y persiguieron injustamente a la Iglesia Universal del Reino de Dios.

Imposible no hacer un viaje en el tiempo. ¿Cómo no recordar mi conversión? Mi deseo ardiente de predicar el Evangelio. El llanto del rechazo. Ser negado por varios líderes evangélicos cuando mi única voluntad era apenas servir a Dios. Oír tantos «no» para un sueño tan sagrado: ganar almas.

La agonía del nacimiento de Viviane. ¿Cómo soportar el dolor de ver a una hija con una deficiencia física? El sufrimiento de los que viven sin paz ni alegría. El quiosco. Los tiempos difíciles en el predio de la antes funeraria.

La compra de la Record y el precio del crecimiento de la Iglesia. Tener el nombre ensuciado y la privacidad agredida por hasta entonces poderosos empresarios de la comunicación movidos por intereses comerciales y religiosos. Ser tratado como criminal por una emisora de televisión, durante largos años, dueña del monopolio de la información en Brasil.

El honor ultrajado por noticias mentirosas durante décadas sin derecho a réplica. Ser odiado por hombres y mujeres de bien que ni siquiera me conocen, pero que, muchas veces, forman su opinión conforme a la prensa manipuladora y vil.

Jamás imaginaría que pagaría tan caro por idealizar una obra evangelizadora cuyo único objetivo es socorrer a los desesperados.

Pero todo eso fue sepultado por la acción del Espíritu Santo. Apenas restaron recuerdos.

El Templo de Salomón está terminado. En 2015, la Iglesia Universal va a completar 38 años de trayectoria con millones de fieles en más de cien países. La Record se consolidó como uno de los mayores grupos de comunicación en el mundo. Yo voy a cumplir 70 años de vida, de los cuales renuncié a 50 en favor de la prédica del Evangelio. Tengo una familia feliz y una esposa fiel y compañera.

Pero absolutamente ninguno de esos bienes tan preciosos me hacen un ser humano más realizado que mi verdadera riqueza: yo conocí a Dios. Mi honra, mi gloria.

Frente a los más célebres y renombrados invitados, ante la multitud de todas las partes del mundo, en la apertura del Templo de Salomón, leí pausadamente el fragmento de la Biblia que más me conmueve. Mensaje con el que cierro este mi libro de memorias. Las últimas palabras de esta trilogía son de Dios. Esta es mi vida. Mi historia.

«Así ha dicho el Señor: "No debe el sabio vanagloriarse por ser sabio, ni jactarse el valiente por ser valiente, ni presumir el rico por ser rico. Quien se quiera vanagloriar, que se vanaglorie de entenderme y conocerme. Porque yo soy el Señor, que hago misericordia, imparto justicia y hago valer el derecho en la tierra, porque estas cosas me complacen"

—Palabra del Señor»

(Jeremías 9:23 y 24)